Christoph R. Kanzler

SELFMADE
AKTIONÄR

Warum der Kapitalmarkt
dein Freund ist

Campus Verlag
Frankfurt/New York

Vorwort

Während ich die letzten Zeilen für dieses Buch schreibe sitze ich in selbst auferlegter Isolation in meiner Wohnung in Berlin. Vor der Tür leere Straßen und Supermärkte, in denen die Regale – sonst gefüllt mit Toilettenpapier und Seife – leer geräumt sind. Die Welt ist eine andere geworden in den letzten Wochen, der Grund: ein Virus namens Corona. Eine Krankheit mit dem Namen »Covid-19«. Grenzen sind geschlossen und das alltägliche Leben, wie wir es bisher kannten, ist zum Erliegen gekommen. Das geht auch an der Wirtschaft nicht vorbei und auf den Kapitalmärkten spricht man inzwischen von der »schwarzen Woche« und nicht mehr vom »schwarzen Freitag«. Einen solchen Zustand kennen wir bislang nur aus Erzählungen unserer Großeltern.

Wir haben Angst. Und in so einer Situation verändern sich Perspektiven. Wir merken plötzlich, wie schutzlos wir dem Geschehen ausgeliefert sind. Wir suchen Signale und Beweise dafür, dass unser Leben bald wieder so sein wird, wie wir es die letzten Jahrzehnte gewohnt waren. Und wir merken, dass Wohlstand und Sicherheit in unserem Leben zu einer Selbstverständlichkeit geworden sind. Wir haben es an Dank fehlen lassen. Wir haben geglaubt, es ginge immer so weiter.

Und dann – unerwartet und plötzlich – springt in China ein Virus von einem tierischen auf einen menschlichen Organismus über und führt zu einer globalen Krise. Kein Land, kein Mensch bleibt verschont. Demut macht sich in uns breit und wir fragen uns, wann wieder alles normal wird. Wir besinnen uns auf Dinge, die wirklich bedeutungsvoll sind, und Zwischenmenschlichkeit wird zu einem überlebenswichtigen Element in unserer Gesellschaft. Familie, Freunde, die Nachbarin oder der Supermarktangestellte, allen sind wir plötzlich ganz nah – obwohl wir gezwungen sind, auf Distanz zu gehen.

Unter diesen Bedingungen dieses Buch zu schreiben und zu einer finalen Version zu kommen fällt mir schwer. Aktuell kann niemand wirklich sagen, was morgen, was in einer Woche, in einem Monat oder einem Jahr ist. Unsere Welt wird eine andere sein, das ist sicher. Doch es ist an uns, sie mitzugestalten. Und dafür braucht es vor allem eines: Optimismus.

> Leere Supermarktregale, leere Städte und Straßen –
> all das kannten wir bisher nicht, das macht uns Angst.
> Was die Menschen jetzt einmal mehr brauchen
> als alles andere, ist eine gehörige Portion
> Optimismus und Vertrauen in die Zukunft!
> — *Christoph R. Kanzler* —

Diese Krise wird einmal vorbei sein. Das hat unsere Geschichte immer wieder gezeigt. Kriege wurden beendet, Pandemien wurden überlebt. Es wird ein Leben danach geben. Und Krisen machen Platz für Neues. Neue Perspektiven, neues Denken, neue Werte. Und vielleicht schaffen wir es, uns ein wenig von der brachialen Oberflächlichkeit und Banalität zu distanzieren, die uns Medien und soziale Netzwerke täglich servieren. Politiker könnten sich wieder daran erinnern, dass sie dem Volk dienen und nicht ihrer Partei. Ich wünsche mir zudem vor allem eine Wirtschaft, die ihr kurzfristiges Gewinndenken ablegt und sich zu einem langfristig orientierten Dienstleister für ihre Kunden und für die Gesellschaft entwickelt.

Simon Sinek hat das in seinem Buch *Das unendliche Spiel: Strategien für den dauerhaften Erfolg*[1] wunderbar in Worte gefasst:

»Die Verantwortung eines Unternehmens besteht darin, sich mit aller Kraft und allen Mitteln für eine gerecht Sache einzusetzen, die größer ist als es selbst, die Menschen und die Umwelt zu schützen, in der es tätig ist, und mehr Mittel zu erwirtschaften, damit es all das so lange wie möglich tun kann. Eine Organisation kann alles tun, was sie möchte, um ihr Geschäft zu betreiben, solange sie die Verantwortung für die Folgen ihrer Handlungen übernimmt. Gerecht ist eine Sache nur, wenn ihr Hauptnutznießer ein anderer ist als das Unternehmen selbst.«

Die »schwarze Börsenwoche« im März 2020 wird in den Geld-, Vermögens- und Versorgungsanlagen ihre Spuren hinterlassen und uns alle betreffen. Die Spannbreite wird von Bremsspuren bis zu Trümmerfeldern reichen. Trümmerfelder (massive Verluste) werden dort zu sehen sein, wo mit Prognosen, Spekulation und hohen unsystematischen Risiken wie Einzeltiteln oder Branchenwetten gearbeitet worden ist. Es ist nicht möglich, Marktprognosen vorzunehmen. Diese Tatsache ist uralt. Der Irrtum aber immer wieder neu. »Bremsspuren« werden global diversifizierte Aktien- und Anleiheportfolios aufweisen. Portfolios, die nicht auf Basis von Prognosen arbeiten und diszipliniert auch während der schwärzesten Zeit investiert blieben. Diese werden sich erholen und Anleger werden sich über die kommenden Entwicklungen freuen.

Aktuell ist noch nicht abzusehen, wie die nächsten Wochen ausschauen. Wie sich unsere Welt im Jahr 2021 präsentieren wird. Ich wünsche mir, wenn Sie diese Zeilen lesen, dass wir alle die Corona-Krise gut überstanden haben, dass wir leben und optimistisch sind. Dass unser Leben wieder in für uns persönlich normalen Bahnen verläuft und wir als Gesellschaft mehr Dankbarkeit den Dingen gegenüber entwickeln, die uns zur Verfügung stehen. Einschränkung unserer Bewegungs- und Reisefreiheit, Grenzschließungen und leere Regale in den Supermärkten wieder der Vergangenheit angehören. Die Tage ist eine Frau an mir vorbeigelaufen, die aus dem Supermarkt kam und zu ihrem Mann sagte: »Das ist ja wie damals im Osten.«

Wir haben unseren Wohlstand die vergangenen Jahrzehnte als selbstverständlich zu betrachten gelernt. Die jetzt temporär notwendigen Eingriffe in unsere freiheitliche Gesellschaft und den freien Handel machen die Quellen dieses Wohlstands sichtbar.

Strom kommt eben nicht aus der Steckdose und Wohlstand fällt nicht vom Himmel. Beides muss erst von Menschen produziert und erwirtschaftet werden.

— *Christoph R. Kanzler* —

Vielleicht bringt diese Krise uns als Menschen dazu, dem wichtigsten Gut unseres Lebens wieder mehr Respekt zu zollen: unserer Freiheit. Und dazu gehört auch, dass wir frei sind mit Blick auf unsere finanziellen Entscheidungen. Die Krise wird noch Tausende Menschen unschuldig in den Ruin treiben – auch dann noch, wenn sie eigentlich überwunden scheint. Unternehmen werden trotzt Staatshilfen nicht bestehen können. Gastronomen werden ihre Betriebe geschlossen halten, auch wenn sie eigentlich wieder öffnen könnten. Menschen werden ihre sicher geglaubten Jobs verlieren und die Anzahl an Insolvenzen wird in die Höhe schnellen. Doch es wird weitergehen. Und dann gilt es, nicht nur bewusster zu leben, sondern auch noch gezielter für die Zukunft zu planen.

Einleitung

Das Corona-Virus hat die Welt erschüttert. Aber vielleicht hat es auch den einen oder anderen wachgerüttelt. Die Einstellung »es kann nicht weitergehen wie bisher« ist eine gute Ausgangslage. Dabei gebe ich Ihnen recht, dass es sicherlich nicht noch ein weiteres Buch über Kapitalmärkte und Finanzen braucht, das von Fachleuten für Fachleute geschrieben wurde und somit den größten Teil der Menschen außen vor lässt.

Was es aber braucht, ist ein Buch, das zum ersten Mal die Funktionsweise von Kapitalmärkten in einer Sprache erklärt, welche die Menschen verstehen. Denn Märkte sind für Menschen da. Dessen sind sich aber 90 Prozent der in Deutschland Lebenden nicht bewusst. Noch immer lassen sich zu viele die Butter vom Brot nehmen, wenn es um ihr Geld geht. Der Grund: ein vollkommen falsches Verständnis davon, welche Aufgaben Kapitalmärkte eigentlich haben und wie jeder davon profitierten kann. Und damit meine ich wirklich jeden. Denn jeder Cent zählt. Jeder Cent ist Geld und jeder Cent bezahlt Rechnungen.

Und wie das aussieht, dazu zum Einstieg ein Beispiel aus meinem Alltag:

Es ist Oktober, wir schreiben das Jahr 2018. Seit ich die 40 überschritten habe, schaue ich alle zwei Jahre bei meinem Hausarzt vorbei, um mich durchchecken zu lassen. Es gibt da keine familiären Dinge, keine möglichen Gefahren, aber ich fühle mich so besser. Ich stehe daher in diesem Oktober – es ist ein ziemlich freundlicher Tag – am Tresen, um mich anzumelden. Vor mir ein älterer Herr. Ich schätze ihn auf etwa 70 Jahre.

Die Arzthelferin erklärt ihm, was ihn bei der Untersuchung erwartet. Er nickt. Dann fügt sie freundlich lächelnd an, was er zusätzlich noch als Absicherung bekommen könnte. Es ist offensichtlich, dass sie ihn sympathisch findet. Vielleicht ist er öfter hier, geht es mir durch den Kopf. Sie erklärt ihm also die Möglichkeit einer Zusatzuntersuchung. Er schüttelt den Kopf.»Wenn die Krankenkasse diese Kosten nicht übernimmt, muss ich verzichten«, sagt er. Die Arzthelferin schaut traurig und ich will meinen Ohren nicht trauen. Die freundliche Dame hinter dem Tresen versucht es weiter:»Aber Herr Meier, vielleicht kann Ihnen jemand die 39 Euro leihen.« Der Mann schüttelt erneut den Kopf.»Nein, aber danke für das Angebot.« Dann geht er Richtung Wartezimmer und ich senke den Blick. Nicht nur aus Scham, weil ich eben rund das Doppelte nach dem Tanken unseres Familienkombis bezahlt habe, sondern auch, weil ich mich frage, wie es so weit kommen konnte.

Auch auf der Fahrt nach Hause bin ich immer noch fassungslos. Wir leben in einem der wohlhabendsten Länder der Welt und ein Rentner muss auf eine Untersuchung verzichten, weil sie 39 Euro kostet? Was ist schiefgelaufen in unserer Gesellschaft? Ältere Menschen bessern mittlerweile durch das Sammeln von Pfandflaschen ihre Rente auf. Und die Zahl der Rentner unter den Wartenden vor den Stellen der Berliner Tafel beträgt mittlerweile mehr als 25 Prozent.[2] Dabei haben die meisten dieser Menschen 40 Jahre und mehr gearbeitet. Haben in dieser Zeit jeden Monat in die Rentenkasse eingezahlt – im guten Glauben daran, dass sie so im Alter abgesichert sind.

Doch die Realität zeigt, das ist ein Trugschluss. Die Studie»Entwicklung der Altersarmut bis 2036« der Bertelsmann Stiftung aus dem Jahr 2017[3] zeigt auf, dass bald jeder fünfte Rentner von der Armut im Alter betroffen sein wird. Das sind erschreckende Zahlen. Es sind Zahlen, die mir Angst machen. Und wütend machen sie mich obendrein, denn das alles müsste nicht sein. Wenn die Menschen endlich anfangen würden, sich selbst um ihr Geld zu kümmern, und die Chancen nutzen würden, welche die freien Kapitalmärkte ihnen bieten. Die heißen nämlich nicht umsonst»frei«. Sie stehen jedem offen, man muss nur den Schritt wagen. Die meisten Menschen sind sich dessen aber gar nicht bewusst, weil sie es schlicht bislang nie gesagt bekommen haben. Das hat nichts mit fehlender Intelligenz zu tun, sondern es wurde uns einfach nicht beigebracht. Die meisten Menschen in Deutschland wissen nicht, welche einfachen Wege uns zur Verfügung stehen, um unsere finanziellen Möglichkeiten zu verbessern.

In diesem Buch werde ich die Funktionsweise von Kapitalmärkten in eine einfache Sprache übersetzen. Ich möchte aufzeigen, dass das mit der Geldanlage und dem Investieren um einiges weniger komplex ist, als Finanzindustrie und Medien das gerne darstellen. Ich will, dass sich die mündigen Menschen in unserer Gesellschaft nicht mehr vom Staat und der Finanzindustrie vorbeten lassen, was das Beste für ihr Geld ist. Ich will, dass jeder selbst entscheiden kann, was zu ihm passt. Ich will Individualität und Erfolg in den Fokus rücken, weg von den schlechten Nachrichten, wie Menschen aus Unwissenheit keine oder vollkommen falsche Anlageentscheidungen treffen und dann im schlimmsten Fall Pfandflaschen sammeln müssen.

Für mich ist das Wichtigste im Leben der Mensch. Daher mein Wunsch für uns alle, mein Wunsch für jeden Einzelnen von uns: Lassen Sie uns gemeinsam das Thema Altersvorsorge und Geldanlage unter einem neuen Blickwinkel betrachten. Benennen wir es dafür am besten zunächst einmal um und nehmen wir ihm das Erschreckende. Verzichten wir auf das »Alter«. Das suggeriert diesen Hauch von verbraucht, verstaubt, vom baldigen Ende. »Alter« fühlt sich heute anders an als bei den Generationen vor uns. Die Lebensumstände lassen uns heute länger und vor allem vitaler leben. Das Wort »Vorsorge« ist zudem durch die Medizin besetzt. Krebsvorsorge oder allgemein medizinische Vorsorge lösen bei uns keine Freudensprünge aus. Es sind lästige, sich wiederholende Vorgänge, um die wir nicht herumkommen.

Nennen wir also das, was wir zukünftig mit unserem Geld anstellen werden, ab sofort »Wohlstandsanlagen«. Sie werden schnell merken, was allein diese kleine Veränderung im Denken in Ihnen auslösen wird. Wohlstandsanlagen sind finanzielle Ansparungen und Investitionen, die Sie sich während des (Arbeits-)Lebens aufbauen, um damit in naher oder eben etwas weiter entfernter Zukunft – je nachdem, wann Sie beginnen – weiterhin den von Ihnen selbst gewählten Lebensstil genießen zu können. Und ich sage dabei bewusst, den von Ihnen selbst gewählten. Das Gros der Rentner lebt nämlich ein Leben, das nichts mehr mit den Wünschen der Vergangenheit gemein hat. Minimaler Wohnraum, kaum etwas zu essen. Die Mobilität ist aufgrund von fehlendem Geld eingeschränkt und ja, Untersuchungen, die wichtig – in manch einem Fall sogar überlebenswichtig – wären, sind nicht bezahlbar. Urlaub ist eine Wunschvorstellung und nicht einmal den Enkeln können Oma oder Opa zum Geburtstag eine kleine Freude machen.

Aber auch schon in anderen Lebensabschnitten spielt dieses Thema eine Rolle. Wie viele Eltern können ihren Kindern aufgrund fehlender finanzieller Ressourcen nicht die gewünschte Ausbildung ermöglichen? Auch hier spielen die Entscheidungen bei Geldanlagen eine elementare Rolle. In Ländern, die das Thema besser angehen, sparen und investieren Eltern in College- und Universitätsfonds, um später ihren Kindern die besten Ausbildungen zu ermöglichen.

Bei der Geburt von Kindern werden in anderen Ländern von den Großeltern Fondssparpläne abgeschlossen, die bis zur Volljährigkeit beeindruckende Summen produzieren. Wir in Deutschland eröffnen stattdessen Sparbücher mit mickrigen Zinsen, die im selben Zeitraum wegen der Inflation sogar noch an Wert verlieren.

Das ist also die Ausgangslage. Eine Situation, die verbessert werden kann. Seit mehr als 25 Jahren arbeite ich in der Finanzindustrie – national und international. Und ich liebe meinen Job. Ich habe unglaublich viel erlebt und zahlreiche Erfahrungen gesammelt und will keine Minute missen. Ich kenne die Industrie aus jedem Blickwinkel. Anfang 2020 habe ich dann zwei eigene Unternehmen gegründet mit der Mission, Deutschland zu einem besseren Platz für Anleger und Finanzberater zu machen. Ich will mein Wissen und meine Erfahrung mit den Menschen, aber auch der Finanzindustrie teilen. Ich bin zutiefst davon überzeugt, dass wir uns gemeinsam weiterentwickeln können und alle Beteiligten von der wertschöpfenden Kraft freier Märkte profitieren werden.

Der Ruf der Finanzindustrie ist nicht glorreich und mit Lobeshymnen gesegnet. Leider hat die Finanzindustrie irgendwann einmal ihre zentrale Funktion vergessen: die Aufgabe, den Menschen bei ihren Finanzen zu helfen. Anstatt den Menschen in den Mittelpunkt zu stellen und Dienstleister zu sein, wurden aus den Unternehmen Vertriebsmaschinen. Es ging nur noch darum, Produkte zu verkaufen und so viel wie möglich an Gebühren und Provisionen zu verdienen. Der Mensch, der Kunde blieb und bleibt hier häufig auf der Strecke.

Daher dient dieses Buch auch der Finanzindustrie als Inspiration und Motivation, sich weiterzuentwickeln. Die Chance zu ergreifen, wieder in der Mitte der Gesellschaft anzukommen. Den Menschen zu helfen, die Herausforderungen zu meistern, die durch das niedrige Zinsumfeld, die demografische Entwicklung und die Langlebigkeit entstanden sind. Finanzdienstleistung wie sie heute als Standard in der Regel definiert ist, kann sich verändern. Sie muss sich verändern. Wir Deutschen sind Weltmeister im Sparen, aber wir machen im Vergleich zu unseren europäischen Nachbarn das Schlechteste daraus. Millionen von uns brauchen Unterstützung beim Thema Finanzen und Geldanlage. Es gibt also genug zu tun, aber es braucht ein neues Werte- und Selbstverständnis, wie Finanzdienstleistung funktioniert.

Dieses Buch ist mir eine Herzensangelegenheit. Wenn Sie erwarten, dass ich Ihnen brandheiße Anlagetipps gebe oder Prognosen aufstellte, wo der DAX im Jahr 2022 stehen wird, legen Sie es jetzt zur Seite, Sie würden enttäuscht, denn die Glaskugelguckerei ist nicht mein Metier. Wenn Sie ein Börsenprofi sind, wenn Sie überzeugt sind zu wissen, wie das mit den Börsen geht, stoppen Sie hier. Dieses Buch ist für »Laien« geschrieben, für Menschen, die sich nicht täglich mit dem Verlauf der Kapitalmärkte auseinandersetzen oder Aktien kaufen und verkaufen wollen. Sollten Sie das nicht sein, überlegen Sie sich, wem Sie eine Freude bereiten wollen, und verschenken Sie das Buch. Es zu lesen, wäre für Sie und das Buch vergeudete Zeit.

Es ist ein Buch, das den Menschen die Angst vor Dingen wie »der Börse« oder vor »Aktien« und »Fonds« nehmen soll. Ein Buch, das die Kapitalmärkte erklärt, ohne Fremdwörter zu benutzen. Und auch die eben genannten Bezeichnungen werden Sie in diesem Buch nur an den Stellen finden, an denen sie beim Namen genannt werden müssen. Das war eine große Herausforderung. Dinge kompliziert zu machen ist einfach. Dinge einfach zu halten ist anstrengend. Ob das gelungen ist, können nur Sie am Ende des Buchs abschließend beurteilen.

Ich weiß, wie abschreckend diese Börsenbegriffe auf viele wirken. Dabei sind sie im Grunde sogar harmlos, im Fall der Aktie sogar zuvorkommend. Im Englischen hört die Aktie auf den Titel »Share«, was nichts anderes als »teilen« bedeutet. Und auch dem »Fonds« lässt sich schnell das Schreckliche nehmen. Dieser geht auf das altfranzösische »fons« zurück. Und das bedeutet: Grund oder Grundstock – und basiert auf dem lateinischen »Fundus«, dem Boden, der Grundlage. Sie sehen, es kommt immer darauf an, wie man die Dinge betrachtet. Oder welche Assoziationen man ins Spiel bringt. Denken wir also ab heute einfach an »Teilen« und »Grundlage«. Beides wichtige Dinge, die in keinem Leben fehlen sollten. Egal in welchem Alter, aber vor allem im höheren ist es wichtig, eine solide (finanzielle) Grundlage zu besitzen, damit sich die Freude im Leben teilen lässt. Mit Enkeln, der ersten oder zweiten Liebe, den Kindern oder einfach mit Gleichgesinnten.

Wichtig ist, dass Sie verstehen, dass Ihr finanzieller Lebensstandard in der Zukunft davon abhängt, was Sie über Aktien, Fonds, die Börse und Kapitalmärkte wissen. Denn wie Sie in Zukunft leben werden, ist eine Antwort darauf, welche finanziellen Entscheidungen Sie im Heute treffen. Mit der Betonung auf dem »Sie«.

Lassen Sie mich Ihnen zeigen, wie Sie einen neutralen Blick auf die Kraft freier Märkte entwickeln und wie die sogenannte globale Werkbank, auch »Welt AG« genannt, beim Aufbau Ihrer ganz persönlichen Wohlstandsanlagen unterstützen kann. Was die »Welt AG« im Detail ist und warum auch Sie Teil dieser größten Erfolgsgeschichte der Menschheit sind, erfahren Sie auf den folgenden Seiten. Dieses Buch ist kein Ratgeber, es ist vielmehr ein unverblümter Aufklärer, der Ihnen hilft, das Beste aus dem Bestehenden herauszuholen. Und damit das gelingt, müssen wir noch eine letzte Sache an dieser Stelle klären.

In Zeiten, in denen wir Transgenderdiskussionen führen, passen sich Gesetze immer neu an. Dies gilt auch für Ansprachen und Schreibweisen. Dennoch werde ich in diesem Buch – schließlich soll es das Komplexe einfach machen – nicht unzählige Anreden verwenden. Ich werde beim Partner, Freund und Leser bleiben. Beim Experten und beim Fachmann. Parallel werde ich ab sofort ins »Du« wechseln, so schwer mir das fällt. Schließlich habe ich mehr als 25 Jahre in der Finanzindustrie gearbeitet und dort war das höfliche oder eben distanzierte »Sie« Gesetz und gesetzt. Doch ich weiß, dass mich die »Sie«-Perspektive nicht vermitteln lässt, was ich mit diesem Buch erreichen möchte.

Das »Sie« versetzt mich gedanklich in die Situation, möglichst kompetent als übergeordneter Finanzspezialist agieren zu wollen. Und genau das will ich nicht mehr sein. Wie ich schrieb: Ich will Deutschland zu einem besseren Platz für Anleger machen. Ich will Menschen, Unternehmen und Wohlstand wachsen lassen. Ich will die Rolle von Finanzdienstleistungen revolutionieren und fordere die Menschen auf, zukünftig ihr Geld anders und gewinnbringender anzulegen. Die Welt muss zu einem besseren Platz für Anleger, aber auch für Finanzdienstleister werden.

Bislang denkt und definiert sich die Finanzindustrie vom Produkt her. Es geht um den Verkauf, nicht um die gewinnbringende Lösung für den Kunden und Anbieter. Doch genau diese brauchte es für jeden von uns, ganz individuell. Dieses Buch habe ich für die Menschen geschrieben, die Lust auf Zugewinn haben. Mit Blick auf ihre Finanzen und mit Blick auf ihr Wissen. Dieses Buch habe ich für dich geschrieben, damit du zukünftig die Funktionsweise freier Märkte verstehen kannst, um Nutzen daraus zu ziehen. Es ist kein oberflächliches Kratzen, aber auch kein tief ins Innere vordringende Bohren. Es ist der gangbare, der mögliche Weg, den jeder von uns beschreiten kann. In seinem Tempo, nach seinen Vorlieben. Aber konsequent und zielstrebig. Und fernab davon, dass alle Wege nach Rom führen, gibt es in unserem Fall klare Etappenziele. Wichtige Schritte, die aufeinander aufbauen.

Daher: Verzeih zunächst einmal das »Du«, es ist nicht despektierlich gemeint. Es ist Mittel zum Zweck. Das »Du« enttarnt die künstlich geschaffene Komplexität der Geldanlagen. Eine Komplexität, die nicht sein muss und die Ursache für die vielen Probleme ist, welche die Finanzindustrie hat.

Die Probleme der Finanzindustrie sind das Ergebnis einer sich seit vielen Jahren nur noch selbst referenzierenden Branche. Würde die Hotelindustrie so arbeiten, würde sie die Qualität der Betten und die Farbe der Teppichböden in ihrer Kundenkommunikation in den Fokus stellen. Die Autoindustrie würde detailliert erklären, wie der Motor funktioniert und von welchem Hersteller die Bremsen sind. In beiden Fällen würde die Industrie mehr schlecht als recht existieren. Der »Verkauf« des Kundenerlebnisses, die emotionale Ansprache und der Fokus auf die Wünsche der Kunden macht beide Industrien erfolgreich und sorgt für die entscheidenden Unterschiede zwischen den verschiedenen Anbietern.

Der Weg der Finanzindustrie geht nur noch so lange irgendwie gut, bis sich am Markt Alternativen entwickeln. Ansätze und Lösungen, die sich für den Kunden geschmeidiger anfühlen und vieles von der Komplexität hinter sich lassen, die Erholung und zuverlässige Funktionalität bedeuten.

Doch im Moment es ist, wie es ist. Die Finanzindustrie bewegt sich in ihrer selbst geschaffenen Welt, in der sie zugleich auch gefangen ist. Das ist der Grund, warum ich mich entschieden habe, meinen eigenen Weg zu gehen. Als unabhängiger Unternehmer kann ich neue Wege beschreiten, Dinge ausprobieren, die in Konzernen aufgrund interner Vorgaben und Politik nicht möglich sind. Sich überlebte Systeme brechen nie unter den eigenen Fehlern und Missständen zusammen. Es müssen immer erst neue Systeme geschaffen werden, welche die alten in sehr schneller Folge ablösen. Idealerweise sind es Innovationen, die besser, einfacher, interessanter und erfolgreicher sind für die Menschen.

Und das gilt auch für die Finanzbranche. Es braucht den Druck des Marktes, den Druck der Menschen. Menschen, welche die Verantwortung für ihre Finanzen nicht mehr abgeben und auf das Beste hoffen. Es braucht mehr Eigenverantwortung und kritisches Hinterfragen.

Die Finanzindustrie wird oftmals für ihr Verhalten und ihre egoistische Logik kritisiert. Es ist jedoch auch an uns, aktiv zu werden. Hören wir auf, uns zu grämen. Wenn wir als Gruppe Mensch unser Verhalten ändern, werden wir den Markt und das Angebot modifizieren. Die Nachfrage regelt bekanntlich das Angebot. Die Welt ist ständig in Bewegung. Innovationen zerstören Traditionen. Altes wird durch Neues ersetzt. Vor kurzer Zeit gab es in Deutschland noch mehr als 3 000 Videotheken. Sie gehörten zu jedem Stadtbild. Die heute noch verbliebenen wirken wie Relikte aus einer anderen Zeit. Beim Vorbeigehen fragen Kinder ihre Eltern, was man darin bekommen könne. Netflix und andere Streamingdienste haben das Zepter übernommen.

Oder denken wir an die gute alte Telefonzelle – erst waren es Münzen, dann kam die Telefonkarte. Und am Ende machte ein kleines, handliches und überall einsetzbereites Gerät dem Häuschen den Garaus. Die Möglichkeiten unserer digitalisierten Welt sorgen für einen massiven Strukturwandel. Ein Anders-Denken, Um-Denken und Neu-Denken. Und manchmal nimmt sie uns das Denken sogar schon ab. Ich habe keine Ahnung, was uns, basierend auf künstlicher Intelligenz und Augmented Reality, noch erwarten wird, aber spannend wird es bleiben.

Daher meine Frage: Was meinst du, wie viele Finanzdienstleister werden in der heutigen Form in zehn Jahren noch aktiv sein? Und wie viele davon erfolgreich? Keine Frage, wir brauchen Experten, wir brauchen Banken und wir brauchen Finanzberater. Besonders nach schweren Krisen.

Es gibt ausreichend Bedarf nach Finanzdienstleistungen, die uns Menschen in Deutschland helfen, es in diesem Punkt besser zu machen. Wie diese konkret ausschauen werden, kann niemand sagen. Ich traue mir aber die Aussage zu, dass Finanzdienstleister das Serviceverständnis erreichen, das im Hotel- und Gastrogewerbe gelebt wird. Aufhören, in Produkten zu denken, und sich stattdessen auf Menschen konzentrieren. Der Gast im Mittelpunkt. Der Gast, der sich wohlfühlt. Der Gast, der gerne wiederkommt und das Haus weiterempfiehlt.

Die Branche muss ihr Denken modifizieren. Sie muss neue Geschäftsmodelle entwickeln, die den Menschen einen fühl- und auch messbaren Mehrwert bringen. Erfolgreich sind Unternehmen, die das alltägliche Leben erleichtern und den Lebensgenuss eines jeden Einzelnen steigern. Die dem Menschen Optionen bereitstellen.

Sie muss endlich stoppen, kurzfristiges Profitdenken über langfristigen Unternehmenserfolg zu setzen. Der Kunde als Mensch, als Mittelpunkt aller Überlegungen ist das Ziel. Lösungen aufzeigen, das Optimale für jeden Einzelnen finden – wenn diese Utopie Alltag im Bank- und Versicherungswesen wird, beschwert sich niemand mehr über Gehälter für Banker und Finanzberater. Wer anderen einen Mehrwert verschafft, darf sich für den eigenen Wert auch belohnen lassen.

Ich selbst habe unzählige Bücher zum Thema Kapital und freie Märkte gelesen. Doch alle waren lang – langatmig und langweilig. In allen Büchern wurde um das zentrale Thema herumgeredet, mit Fremdwörtern nur so um sich geschmissen. Es ist wie bei einer Weinprobe. Jemand im Publikum hebt die Hand und meint:»Also, ich bin ja seit vielen Jahren Weinkenner und der xy, der ist einfach überbewertet.« Oder um mal einen Gelehrten heranzuziehen. Schon Michel de Montaigne, geboren 1533 und gestorben 1592, wusste:»Die Schwerverständlichkeit ist ein Falschgeld, dessen sich die Gelehrten wie Taschenspieler bedienen, damit die Nichtigkeit ihrer Kunst nicht ans Licht komme.«

Mein Wunsch an dich: Verändern wir gemeinsam die Sicht auf die Dinge, unser Verständnis. Lasse mich dir aufzeigen, wie du freie Märkte zu deinem Partner machst, die Welt AG zu deinem Freund wird und wie du lernst, Grundlagen zu bilden und Dinge zu teilen. Wie du deine Sorge um die finanzielle Absicherung minimieren und mit Freude in die Zukunft schauen kannst.

Ich kann dich nur einladen, mich zu begleiten. Mir ein wenig Vorschussvertrauen zu schenken. Vielleicht hilft es, dass ich der Kanzler bin. In anderer, aber nicht minderer Form als der Klassiker in Bezug auf das Wissen, dass ich eine Verantwortung habe. Ich stehe nicht an der Spitze einer Nation, aber ich würde gerne dennoch Deutschland demokratisch darüber entscheiden lassen, das Richtige für die Zukunft zu tun.

Und nun noch etwas Praktisches: In diesem Buch findest du regelmäßig QR-Codes.»QR« steht für»Quick Response«. Um die Codes nutzen zu können, benötigst du – sofern nicht in deine Smartphone-Kamera integriert – eine App für dein Smartphone. Im App-Store oder bei Google Play gibt es zahlreiche Anbieter und du hast die freie Wahl. Einfach runterladen, öffnen, Code scannen und ich versorge dich mit weiteren Infos. So gelangst du über diese Codes zu kurzen, prägnanten Erklärvideos, in denen ich gewisse Dinge noch einmal detailliert erläutere. Diese Videos und viele mehr findest du auch auf meiner Website www.der-kanzler.com.

Und nun geht es los – ich wünsche dir beim Lesen viel Spaß und bleibe offen für das Neue. Die letzten Monate haben gezeigt, dass wir auch die schlimmsten Krisen meistern können. Aber auch, dass es ein Umdenken braucht. Dieses Buch ist deine Motivation, das »Ding« mit den Finanzen endlich für dich gewinnbringend auf die Beine zu stellen.

Christoph R. Kanzler
Berlin, im Januar 2021

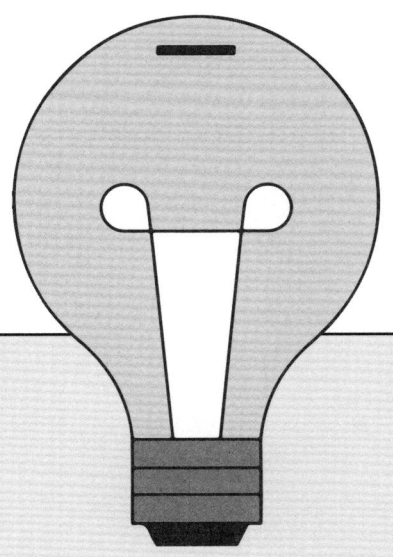

Kapitel 1

Das große Missverständnis

oder wie du und die Finanzindustrie
gemeinsam funktionieren

Wenn es im Leben nicht läuft, sind meistens Missverständnisse die Ursache. Vielleicht kennst du das von daheim oder von deinem Arbeitsplatz. Wir alle glauben zu wissen, was der andere will – egal ob Kollege oder Partner, Kind oder einfach Gegenüber. Wir fragen nicht nach, wir wissen es einfach. Mein Vater sagte immer zu mir »Glauben, Christoph, glauben heißt nicht wissen«. Doch so oft glauben wir, den anderen durchschaut zu haben. Und immer wieder stellen wir fest, dass wir danebenlagen – in der Regel gewaltig daneben. Und dann ist der nächste Gedanke naheliegend: »Hättest du doch einfach mal nachgefragt.«

Seit mehr als zwei Jahrzehnten arbeite ich jetzt in der internationalen Finanzindustrie. Viel habe ich erlebt, gesehen und gelernt. Irgendwann auf diesem Weg habe ich erkannt, und das mit Erschrecken, dass die Menschen und die Finanzindustrie seit Jahrzehnten aneinander vorbeireden. Wenn ich dich fragen würde, was Geld für dich bedeutet, wie würde deine Antwort ausfallen? Da würden – vorweggenommen – spontan Dinge wie Unabhängigkeit, Sicherheit, Selbstverwirklichung und anderes deine Gedanken heimsuchen. Wir gehen später auch noch ausführlich darauf ein. Fakt ist jedoch, dass für die meisten von uns Geld als Synonym für Sicherheit und »es sich leisten können« steht. Sich selbst und den Lieben ein gutes Leben ermöglichen. Es geht um Freiheit und Wirksamkeit. Geld ermöglicht, bestimmte Dinge zu tun. Geld ist ein Mittel zum Zweck in vielerlei Hinsicht. Es macht dein Leben besser und kann auch das anderer bereichern.

Kurz vor dem Start eines Flugzeugs werden die Passagiere mit den Sicherheitsvorkehrungen bekannt gemacht. Ein wichtiger Teil davon ist, bei dem unwahrscheinlichen Fall eines Druckabfalls in der Kabine die Sauerstoffmaske zuerst sich selbst aufzusetzen. Erst im zweiten Schritt soll Kleinkindern oder seinem Sitznachbarn geholfen werden. Die Logik ist simpel: Wenn du wegen Sauerstoffmangel ohnmächtig wirst, kannst du auch niemand anderem mehr helfen. Übertragen auf das Geld bedeutet das: Wenn du ausreichend finanzielle Mittel hast, kannst du andere damit unterstützen.

Geld wirkt wie ein Brennglas: Gute Menschen werden durch finanzielle Kraft noch liebenswürdigere Menschen, während Idioten mit steigenden finanziellen Mitteln noch größere Idioten werden. Wichtig aber ist, dass du verinnerlichst, dass Geld an sich nichts »Schlechtes« ist. Finanzielle Sorgen können Menschen massiv demoralisieren und sind häufig mit einhergehenden Erniedrigungen verbunden. Geld ist »Mittel zum Zweck« und schafft Unabhängigkeit und steigert die Zahl der Möglichkeiten, die es in unserem Leben gibt.

Viele Finanzberater kümmert es nur in den wenigsten Fällen, was Geld für dich bedeutet. Das mag daran liegen, dass einer kein Interesse an dir und deinen Wünschen hat. Auf der anderen Seite aber hat ihm auch nie jemand beigebracht, danach zu fragen. Dienst nach Vorschrift – auf die Finanzindustrie trifft das in besonderem Maße zu.

Dieser Finanzberater hat viele gut gemeinte Ratschläge in petto. Er weiß, was dir guttut. Du wirst überschüttet mit Fachbegriffen, die dir nichts sagen. Es werden dir komplizierte Anlageprodukte angeboten, deren Funktionsweise du nicht verstehst. Und es beschleicht dich das Gefühl, es geht in dem Gespräch nicht wirklich um dich. Und ja, dein Bauchgefühl hat recht. Seit Jahrzehnten herrscht Absatzdruck bei Banken und Versicherungen. Dir sollen Produkte verkauft werden. Mit Produkten verdient die Industrie Geld, und je komplizierter die Produkte, desto mehr Geld lässt sich damit an dir verdienen.

Die gute Frage: Warum funktioniert das? Es muss immer einer wollen und einer muss lassen. Solange du es zulässt, wird sich daran nichts ändern. Solange wir es zulassen, wird es bleiben wie es ist. Und erwarte nicht von anderer Stelle wie zum Beispiel der Politik Hilfe. Dort wirst du als unmündiger Mensch gesehen, den es vor der Finanzindustrie zu schützen gilt. Hier bist du nur Mittel zum Zweck, um ideologische Weltbilder durch übereifrige neue Gesetzgebungen wahr werden zu lassen. Basierend auf politischen, wirtschaftlichen und ideologischen Interessen, ist Sparen und Investieren in kaum einem anderen westlichen Land so ineffizient wie in Deutschland. Die aktuell diskutierte Börsentransaktionssteuer, wenn sie denn kommen sollte, wird ein weiteres Mal vor allem dich treffen. Den Menschen auf der Straße wird einmal mehr der Wohlstandaufbau erschwert. Alles sinnlos? Nein! Aber es fängt bei dir an. Revolutionen, nachhaltige Veränderungen beginnen immer im Kleinen. Bei dir. Bei uns. Wenn du und ich es nicht mehr zulassen, nur als Mittel zum Zweck für Industrie und Politik zu dienen, werden sich beide Lager bewegen müssen. Dabei geht es nicht darum, als bockiges Kind aufzutreten, sondern schlichtweg als mündiger Bürger mit eigener Meinung. Und sobald sich die Finanzindustrie verändert, werden auch Politiker neue Wege gehen müssen. In seinem Buch *Helden, Schurken, Visionäre: Entrepreneure waren gestern – jetzt kommen die Contrepreneure*[4] beschreibt der Wirtschaftsphilosoph Rahim Taghizadegan das Verhalten von Politikern sehr treffend:

»Da marschieren meine Wähler; ich muss herausfinden, wohin sie gehen, damit ich sie anführen kann. Politiker und andere Funktionäre richten sich nach Meinungsumfragen und folgen den Launen der Masse, die wiederum nach diesen Meinungsumfragen geformt werden. Noch nie haben sich Politiker mehr an der Masse ausgerichtet als heute. Doch auch nie genossen sie weniger Vertrauen als heute.«

Also erwarte nicht, dass aus dieser Richtung etwas Konstruktives passiert. Es passiert nur, wenn du, wenn wir uns ändern.

So wie es eine Schule des Lebens gibt, gibt es auch eine Schule der Märkte. Dieses Buch ist quasi das Handout zur Schule der Märkte. Es wird dir zeigen, wie und warum sich Geld vermehrt. Und du wirst überrascht sein – auch du bist ein Held in dieser Erfolgsgeschichte. Sowohl als Konsument wie auch Produzent. Der sogenannte produktive Kapitalismus erschafft Waren und Dienstleistungen, weil eine freiheitliche Gesellschaft diese Waren und Dienstleistungen bedarfsgetrieben nachfragt. Du bist also einerseits über deine Arbeit Teil des Produktionsprozesses und andererseits bist du Abnehmer von Waren und Dienstleistungen. Produzent und Konsument – der Produktionskapitalismus ist ein »Menschheits-PLUS-System« und damit die größte Erfolgsgeschichte der Menschheit.

Deutschland ist ein wirtschaftlich erfolgreiches Land. Und du bist Teil dieses Erfolgs. Deutschland ist das Land der Dichter und Ingenieure, der Denker und Entwickler. »Made in Germany« steht weltweit für Qualität. Mit Blick auf das Thema Finanzen und Kapitalanlagen sind wir allerdings ein Entwicklungsland. Andererseits kann ich aus meiner Erfahrung berichten, dass sich alle Anleger als »Börsenprofis« sehen. Diese Einschätzung steigt mit der akademischen Ausbildung. Irgendwie herrscht der Glaube vor, dass man als Arzt, Ingenieur oder mit einer anderen universitären Ausbildung automatisch mit dem Zertifikat auch die Bescheinigung erhält, ein »Börsenprofi« zu sein – obwohl nichts davon unterrichtet worden ist. Das hat zur Folge, dass haarsträubende Anlagen getätigt werden, an deren Ende alles andere als ein »Profierfolg« steht. Vergleiche es mit der deutschen Nationalmannschaft. Sobald es hier mal nicht rund läuft und die Mannschaft ein Spiel verliert oder auch, wenn sie nur knapp gewinnt oder unentschieden spielt, haben es alle besser gewusst. Plötzlich melden sich Millionen Nationaltrainer, die sich für einen besseren Jogi Löw halten.

Ein anderer weitverbreiteter Irrtum ist, dass »reiche« Menschen bis ins kleinste Detail wissen, was mit dem Geld zu tun ist. Auch hier ist das Gegenteil der Fall. Je mehr Vermögen vorhanden, desto eher ist man versucht, nur noch in hoch spezialisierte Anlagen zu investieren. Sogenannte »Hedgefonds« sind ein gutes Beispiel. In Wahrheit sind sie – überspitzt gesagt – nichts anderes als Anlagen für Dumme. Die Anleger werden hier nach Strich und Faden ausgenommen, fühlen sich jedoch im gleichen Atemzug privilegiert, weil sie zu den Auserwählten gehören, die es sich leisten können, in diese exklusive Anlage zu investieren. Rarität und begrenzter Zugang hat schon zu vielen Dummheiten verleitet. »Hedgefonds« sind ganz gezielt als Anlage konzipiert, die nur einigen wenigen vorbehalten wird. Doch der Einzige, der damit gewinnt, ist der Anbieter des jeweiligen Hedgefonds.

Die globalen Kapitalmärkte haben in den letzten 100 Jahren durchschnittlich zwischen 8 und 10 Prozent Nominalrendite pro Jahr erwirtschaftet[5] und reflektieren damit die größte Erfolgsgeschichte der Menschheit. Auch wenn von diesen Renditen noch die Inflation und

Kosten abgezogen werden müssen, landen wir bei beindruckenden 5 bis 7 Prozent. Hast du das gewusst? Immer wenn ich auf meinen Vorträgen diese Zahl erwähne, schauen mich die Teilnehmer ungläubig und überrascht an. In der Regel ist diese Zahl niemandem je untergekommen. Die meisten gehen davon aus, dass Kapitalmärkte mehr Verluste als Gewinne produzieren. Sie setzen daher auf das Sparbuch und argumentieren:»Lieber bekomme ich nur 0,50 Prozent Zinsen, aber dafür habe ich den Betrag sicher.« Doch kaum eine Meinung weicht so sehr von der Realität ab wie diese. Kapitalmärkte haben mehr Aufschwünge als Abschwünge. Der Trend geht nach oben.

Dieser Trend wird sich im besten Fall auch nach der Corona-Krise fortsetzen. Krisen gab es und wird es immer geben. So unangenehm sie für uns Menschen sein mögen, sie sind etwas Gutes. Sie befreien den Markt von nicht mehr zeitgemäßen Strukturen und machen Platz für Neues.

Die Welt wird sich weiterdrehen. Wir werden uns als Menschheit wieder erholen. In Folge werden auch die Wirtschaft und damit einhergehend die Kapitalmärkte wieder ins Rollen kommen. Das wird nicht von jetzt auf gleich passieren und eine gewisse Zeit in Anspruch nehmen, aber es wird passieren. Die Frage ist an diesem Punkt, wie groß der Anteil sein wird, den du dir sichern kannst. Wir werden wieder konsumieren und wir werden wieder an unsere Arbeitsstellen zurückkehren und produzieren. Wir als Menschen werden dafür sorgen, dass sich die Welt wieder erholt. Wir werden die Wertschöpfung wieder in die Gänge bringen. Wir als Menschen. Wir werden dafür sorgen, dass der Rubel wieder rollt.

Die Schule der Märkte soll deine Sichtweise verändern. Märkte sind für Menschen da. Der Produktionskapitalismus ermöglicht es dir, dein durch Arbeit hart verdientes Geld über Aktien und Anleihen aktiv in den Produktionsprozess der Welt AG, in die globale Werkbank zu stecken und davon zu profitieren. Kapitalmärkte funktionieren am besten, wenn sie allen Menschen ermöglichen, am Wohlstand der Nationen teilzuhaben.

Es braucht nicht viel, damit jedermann von der Funktionsweise freier Märkte profitieren kann. Es gibt im Grunde nur einige wichtige Regeln. Schlichte Faustregeln, welche die Dinge vereinfachen, und aktive Herangehensweisen, die leicht verständlich sind und sich daher schnell umsetzen lassen. Diese Faustregeln wirst du kennen, wenn du dieses Buch gelesen hast.

Die Argumentation, dass wir Deutschen kulturell bedingt unter einer ausgeprägten Risiko- und Verlustaversion leiden, ist eine hartnäckige Legende. Es gibt keine Fakten, die das bestätigen. Ganz im Gegenteil. Es gibt in Deutschland mehr Lottospieler als Aktionäre. Wir Deutschen sind also sehr wohl bereit, Risiken einzugehen. Allerdings nehmen wir die falschen Risiken in Kauf. Wir haben nie gelernt, zwischen »guten« und »schlechten« Risiken zu unterscheiden. Auch wird immer argumentiert, dass wir in Deutschland aufgrund von Währungsreformen – wie in den Jahren 1923 und 1948 – bereits zwei Mal unser ganzes Geld verloren haben. Fakt ist, dass wir »unser« ganzes Geld deshalb verloren haben, weil wir es auf Sparbüchern oder im schlimmsten Fall unter dem Kopfkissen hatten. Genau da, wo es heute auch überwiegend noch seine Heimat hat und so gar keine Rendite abwirft. Hätten wir das Geld damals schon in die Welt AG, in Unternehmen investiert, wären die Verluste niemals so dramatisch ausgefallen. Daher – und ich bin kein Wahrsager oder jemand, der sagen kann oder will, was in Zukunft passiert: Doch wenn es erneut zu einer Währungsreform kommen sollte, wird das gleiche Drama wieder passieren, da wir nichts dazugelernt haben.

Wir in Deutschland sind ein Volk disziplinierter Sparer und haben inzwischen sechs Billionen Euro angehäuft. Da wir aber die Chancen nicht nutzen, die sich uns an den produktiven Kapitalmärkten bieten, liegt dieses Geld auf schlecht verzinsten Konten und verliert jeden Tag an Wert. Wir erzeugen jeden Tag Verluste, hohe Verluste, obwohl wir genau das ja um jeden Preis vermeiden wollen. Es kann auch anders gehen, wie du aus folgenden Zahlen ablesen kannst. Obwohl andere Länder nicht so diszipliniert sparen, sind die Menschen dort wohlhabender als wir.

Sparquoten 2017		Haushaltsvermögen Median
Deutschland	10,00 %	60 800 Euro
Frankreich	8,90 %	113 000 Euro
Spanien	1,70 %	159 600 Euro
Italien	3,30 %	146 200 Euro
Portugal	5,80 %	71 200 Euro
Griechenland	negativ	65 100 Euro

Sparquoten ausgewählter EU-Länder und Median-Haushaltsvermögen

Quelle: EZB, Statista (https://de.statista.com/statistik/daten/studie/168325/umfrage/sparquote-privater-haushalte-in-laendern-europas/)

Seit vielen Jahren halte ich Vorträge zum Thema »Schule der Märkte«. Auch Finanzberatern helfe ich, ein neues Verständnis für ihre Rolle zu entwickeln. So sehr ich das Selbstverständnis der Finanzindustrie kritisiere, so sehr möchte ich an dieser Stelle auch nicht alle Berater über einen Kamm scheren. Ich kenne viele, die das Beste für ihre Kunden wollen. Sie werden jedoch vom System gezwungen, Dinge zu tun, die eben nicht das Beste für ihre Kunden sind. Viele sind gefangen, müssen wie wir alle Familien ernähren und finden keinen Weg, es besser zu machen. Hier versuche ich, zu inspirieren und neue Wege und Modelle aufzuzeigen, in denen alle gewinnen. Der Kunde, der Berater und sein Arbeitgeber.

Und glaube mir, es gibt hervorragende Beziehungen zwischen Kunden und Finanzberatern. Partnerschaften, in denen gemeinschaftlich das Beste für beide Seiten herausgeholt wird. Meine Mission ist, Deutschland zu einem besseren Platz für Anleger zu machen. Aber auch zu einem besseren Schaffensplatz für Finanzberater. Sicher ist hier die Frage erlaubt, ob jeder einen Finanzberater braucht. Die Antwort: Nein. Aber Finanzberater, die den Menschen in den Mittelpunkt stellen, können für Familien und Einzelpersonen ein lebenslanger wichtiger Begleiter werden. Aber beide Seiten müssen sich über ihre Rollen im Klaren sein. Und um Missverständnisse zu vermeiden, müssen sie am Anfang die richtigen Fragen stellen.

Wie du herausfindest, ob du einen Berater brauchst und wie du einen guten findest, werden wir später in diesem Buch behandeln. Vorab nur kurz: Der perfekte Berater stellt die richtigen Fragen und kann zuhören. Die Aufteilung dabei: Er hört 80 Prozent der Zeit zu und stellt in den anderen 20 Prozent die richtigen Fragen. Verteilt auf eine Beratungsstunde bedeutet dies 48 Minuten zuhören, 12 Minuten Fragen stellen, um herauszufinden, was dir wichtig ist.

Machen wir uns nun also auf eine Reise durch die freien Märkte. Schauen wir gemeinsam, wie auch du bestmöglich von der Funktionsweise der Welt AG profitieren kannst, und ja, schimpfen wir noch ein wenig auf die aktuelle Situation – oder eher, halten wir sie uns ungeschönt vor Augen und finden wir die Missstände.

Kapitel 2

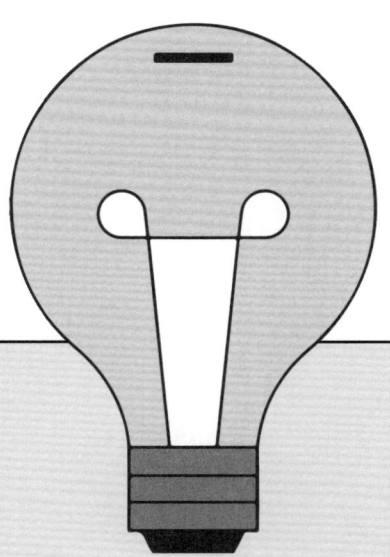

Die Schule, in die keiner von uns gegangen ist

oder warum wir ein gewisses
Maß an Bildung nachholen müssen

*E*s gibt wie gesagt eine Schule des Lebens, aber eben auch eine Schule der Märkte. Die erste müssen wir zwangsläufig besuchen, die andere bleibt uns in der Regel im wahrsten Sinne des Wortes erspart. Während sich die Finanzindustrie und der Staat darüber freuen, sollten wir jedoch darüber wütend werden. Und zwar so wütend, dass wir gemeinsam eine Revolution anzetteln. Sorgen wir gemeinsam für eine tief greifende Veränderung der Finanzwelt – machen wir Aktien salonfähig und Fonds zum Allgemeingut. Stellen wir Beratern endlich Fragen und lassen wir uns nicht einfach mehr mit unrentablen Anlagestrategien abfrühstücken. In Deutschland besitzt jeder, der ein Auto lenken kann, einen Führerschein. Wir machen sogar als Kinder eine Fahrradprüfung. Es braucht für alles Genehmigungen und Vorschriften. Doch wenn es um Finanzen, Wirtschaft und Kapitalanlagen geht, herrschen Zustände, die eher an den Wilden Westen erinnern als an ein durchstrukturiertes System.

Es braucht also einen »Führerschein«, einen Beleg darüber, dass das mit dem Sparen, Anlegen und Investieren verstanden wurde. Lass mich also dein Fahrlehrer sein. Dein Mentor auf dem Weg in ein anderes, weil nicht mehr vom Druck der Finanzen geprägtes Leben. Und glaube mir, das mit dem Risiko fällt weniger schwer ins Gewicht, als viele annehmen.

Eine gemeinsame Studie der Frankfurt School of Finance and Management und der Goethe-Universität Frankfurt[6] hat gezeigt, dass die meisten Menschen beim Thema »Aktien« an »Risiko« denken. Daher halten sie sich von den Finanzmärkten lieber fern. Weiter gaben die Befragten an, sie hätten zu wenig Geld, zu geringes Finanzwissen, fehlendes Vertrauen in den Aktienmarkt und Angst vor Betrug. Ein verständliches Potpourri aus Einwänden.

Doch schauen wir uns die Einwände einfach einmal detailliert an, beginnend bei der Sache mit dem »Risiko«. Über 21 Millionen Menschen spielen – wie schon erwähnt – regelmäßig oder gelegentlich Lotto. Und das nicht weltweit, sondern in Deutschland. Und die Wahrscheinlichkeit, dabei wirklich einmal einen Gewinn nach Hause zu bringen, beläuft sich auf eine Chance von 1:139 000 000. Beim Lotto hört man immer nur von dem Gewinner des Jackpots oder des Sechsers. Dass auf der anderen Seite aber Millionen von Menschen ihr Geld verloren haben, damit die Glückspilze in langen und unregelmäßigen Abständen abräumen können, wird nicht wahrgenommen. Die langen Schlangen an den Wochenenden vor den Lottoannahmestellen zeigen, dass viele es doch für realistisch halten, ein Glückspilz zu sein.

Wenn es um Kapitalmärkte geht, hört man dagegen immer nur von den Verlierern. Von den 8 bis 10 Prozent durchschnittlicher Rendite und den vielen Gewinnern spricht hier im Lande keiner. Das Lottospiel hinterlässt viele, viele Verlierer und es gibt nur ganz wenige Gewinner. Sicher sind die meisten überdurchschnittlich belohnt, aber wäre eine konstant und für alle Beteiligten gesicherte Rendite nicht besser? Die Welt AG produziert viele, viele Gewinner und hinterlässt im Vergleich nur sehr, sehr wenige Verlierer. Auf die Titelseiten der Medien schaffen es aber nur die Lotto-Jackpot-Gewinner.

Die Frage ist, woher dieses von Angst getriebene Verständnis kommt. Die Antwort ist schnell gefunden: Weil wir nur gelernt haben, das Oberflächliche zu sehen. Wenn wir an Aktien denken, denken wir an die Berichte aus dem Fernsehen und an Hollywood-Filme, in denen es wie im Spielcasino zugeht. Wir hören von »steigenden« und »fallenden« Kursen und halten Aktien für russisches Roulette. Unkontrolliert und der Ausgang hängt vor allem vom Glück ab. Oder eben vom Pech – im Falle des russischen Roulettes wäre es sogar tödlich. Wir fühlen uns in diesem Treiben wie in einer Achterbahn. Wir fühlen uns ausgeliefert. Müssen darauf vertrauen, dass die Experten ihren Job schon richtig gemacht haben und die Maschine rundläuft. Doch so funktioniert das mit dem Wohlstand nicht – jedenfalls nicht mit dem Wohlstand für alle. Auf der folgenden Übersicht kannst du die Entwicklung unseres Wohlstands ablesen. Wie du sehen wirst, haben wir Menschen uns mit der Verbesserung unseres Lebensstandards viele Jahrhunderte schwergetan. Erst ab dem 16. Jahrhundert begann eine Verbesserung. Und diese hat seitdem unfassbar schnell zugenommen.

Entwicklung des weltweiten BIP pro Kopf in den vergangenen 200 000 Jahren

Quelle: Will MacAskill: What are the most important problems of our time? (TED Talk 2018)

Gründe für diesen plötzlichen Aufwind sind die industrielle Revolution und die Entdeckung der Arbeitsteilung. Die industrielle Revolution läutete ein neues Zeitalter ein. Man begann, für Bedürfnisse der Armen zu produzieren. Plötzlich war es en vogue, für die Masse und nicht mehr nur für eine elitäre Oberschicht zu fertigen. Dabei lag der Fokus zunächst auf einfachen Gütern, die zu billigen Preisen angeboten werden konnten. Der Kapitalismus war geboren. Das Wort Kapitalismus löst – wie übrigens bei vielen – vielleicht auch bei dir gleich das Bild des gierigen Kapitalisten aus. Also eines Menschen, der sein Geld so einsetzt, dass er auf jeden Fall noch mehr Geld erwirtschaftet. Doch der Kapitalismus ist weder eine Person noch ein anderes beschreibbares Objekt. Der Kapitalismus hat kein Zentrum, er ist vielmehr eine Ordnung. Werner Plumpe hat ihn in seinem Buch *Das kalte Herz: Kapitalismus: Die Geschichte einer andauernden Revolution*[7] wie folgt beschrieben:

»Zum Kapitalismus kam es nicht, weil Politik und Wirtschaft ihn wollten, sondern er ist das Ergebnis probierenden Handelns, eine zunächst nur in Bruchstücken und Einzelfällen erkennbare neue wirtschaftliche Praxis, die sich bewährte und nachgeahmt wurde. Die industrielle Revolution begann damit, für die Bedürfnisse der Armen, der Massen zu produzieren. Massenproduktion, ermöglicht durch Arbeitsteilung, begann mit der Herstellung der billigsten und einfachen Dinge.«

Dazu empfehle ich auch folgendes Video:

Der Kapitalismus hat heute aus verschiedenen Gründen keinen guten Ruf. Er wird mit Ungerechtigkeit in Verbindung gebracht und einzelne unverantwortliche Akteure haben durch ihr gieriges Verhalten die Bezeichnung Raubtierkapitalismus entstehen lassen. Diese unverantwortlichen Akteure gab und gibt es aber auch in seinem Gegenpart, dem Sozialismus. Der Kapitalismus ist jedoch – anders als der Sozialismus – kein von Intellektuellen erdachtes System, sondern eben eine Ordnung, die sich evolutionär entwickelt hat. So wie sich Tiere, Pflanzen und der Mensch den äußeren Gegebenheiten angepasst haben und auch weiterhin anpassen.

Kapitalismus bedeutet, den Faktoren »Arbeit«, »Wissen« und »Rohstoffe« einen weiteren Faktor hinzuzufügen. Den Faktor »Geld« (Kapital). Und so wird es möglich, Dinge zu produzieren, welche die Menschen brauchen – und das in Masse.

Unternehmen, die auf kapitalistische Weise funktionieren, erzeugen also Wohlstand und Fortschritt. Dort verdienen wir Menschen das Geld, um jene Güter und Dienstleistungen zu erwerben, die in den verschiedenen Betrieben und Organisationen hergestellt und angeboten werden. So entsteht ein Kreislauf. Was passiert, wenn dieser Kreislauf unterbrochen wird, das hat die Corona-Krise aufgedeckt.

Vergleichbar ist das Szenario mit einem Hausbrand in einem Dachgeschoss. Die Schäden, die durch das Feuer selbst ausgelöst werden, konzentrieren sich hauptsächlich auf das Dachgeschoss. Es ist das Löschwasser, das dafür sorgt, dass sich die Schäden nicht auf das Dachgeschoss begrenzen, sondern die darunter liegenden Etagen in Mitleidenschaft zieht. Das Corona-Virus war das Feuer unter dem Dach, der Zusammenbruch des globalen Wirtschaftskreislaufs sind die Folgen des notwendigen Löschwassers in Form von Quarantänen, Grenzschließungen und Einschränkungen des öffentlichen Lebens.

Kapitalmärkte sind Teil unseres täglichen Lebens. Ohne die industrielle Revolution und den Kapitalismus würden wir noch wie im Mittelalter leben. Der Kapitalismus hat uns weitergebracht, steht synonym für Fortschritt. Es ist wichtig, dass du das verinnerlichst. Denn in Krisenzeiten wird stets gerne die Systemfrage gestellt. Es braucht schließlich einen Schuldigen. Der Kapitalismus ist sicherlich nicht perfekt. Aber es ist das Beste, was wir im Moment haben. Er hat der Menschheit mehr Vorteile als Nachteile gebracht. Und mal ehrlich, was ist schon perfekt? Ihre Beziehung? Ihre Kinder? Ihr Job? Ihr Aussehen? Unter uns, irgendwo ließe sich immer ein Detail verbessern – und sei es nur ein klitzekleines.

Und alle realsozialistischen Wirtschaften, in denen eine Partei das Sagen hatte und Planwirtschaft betrieben wurde, sind an ihrer eigenen Ineffizienz und menschenverachtenden Sichtweisen erstickt. Diese Systeme haben der Menschheit mehr Nachteile als Vorteile gebracht.

Kommen wir an dieser Stelle noch einmal auf die Dinge zurück, die den Menschen als Erstes in den Kopf kommen, wenn es um die Börse geht. So sagten viele, dass es ihnen einfach an Geld mangele, um aktiv zu werden. Es stimmt, dass aktuell jeder Dritte in Deutschland am Ende des Monats keinen Cent mehr auf dem Konto hat.[8] Doch es ist ein Irrglaube, dass die Kapitalmärkte nur für reiche Menschen gemacht wurden. Genau das Gegenteil ist der Fall. Auch mit kleinen Beträgen lässt sich daran erfolgreich partizipieren. Und mal ehrlich, sicher ist es schön, Millionär zu sein. Aber müssen tun wir es nicht. Das Ziel wäre doch erst einmal, eine finanziell solide Basis aufzubauen. Und dafür reichen bereits 25 Euro im Monat, die du auf die Seite legst. Wichtig ist, dass wir beginnen und vor allem wissen, was wir damit tun sollen.

Und damit sind wir beim dritten Punkt, den die Menschen gedanklich mit der Börse verbinden: fehlendes Wissen. Das ist leider so. Da gebe ich allen Befragten recht. Die meisten von uns haben Angst, keine Zeit, keine Lust und gehen pauschal davon aus, dass sie diese Materie niemals verstehen werden. Notgedrungen vertrauen sie auf ihren Banker oder den Finanz-Onkel, der das schon irgendwie richtig macht mit ihrem Geld. Der hat das gelernt, der kennt sich aus. Der denkt in meinem Sinne und ist verantwortungsbewusst.

Das Problem ist, sobald du in Rente gehst, wirst du von eben diesen Finanzexperten nicht mehr viel hören. Sie werden dir nicht erklären, wie du mit 900 Euro im Monat über die Runden kommen sollst. Ebenso wenig werden sie Rechenschaft darüber ablegen, warum diese einst als so lukrativ versprochene und direkt abgeschlossene Anlage am Ende nicht den versprochenen Output geliefert hat. Oder warum Riester jetzt doch nicht ein unbeschwertes Leben nach dem 65. Geburtstag garantiert. Und selbst wenn du in der glücklichen Lage bist, noch eine Art Zusatzrente zu beziehen, weil dein letzter Arbeitgeber da irgendwas auf die Beine gestellt hat, werden die Steuern so kraftvoll zuschlagen, dass am Ende viel Monat und wenig Geld übrig bleiben werden.

Und jetzt mal ganz unter uns, das kann es doch nicht sein. Und genau vor dieser Situation möchte ich dich und deine Lieben mithilfe dieses Buches bewahren. Nach dem Lesen werden dir Kapitalmärkte keine Angst mehr machen. Du wirst den Unterschied zwischen Spekulieren und Investieren verstehen und dich so selbstbewusst wie sicher in der Welt der Geldanlagen orientieren können. Du und deine Familie, alle Menschen haben das Recht darauf, an der gigantischen globalen Wertschöpfung der Welt AG zu partizipieren.

Millionen von Menschen in Deutschland und in vielen anderen Ländern könnten von einem viel größeren finanziellen Spielraum profitieren, wenn sie ihr angespartes Geld nur produktiver für sich arbeiten ließen. Würden sie es wie die Wohlhabenden dieser Welt machen, würden sie nicht für ihr Geld arbeiten, sondern das Geld für sich arbeiten lassen. Davon bist du wahrscheinlich aktuell noch meilenweit entfernt und es ist auch nicht das erklärte Ziel. Mir geht es darum, dass du als Person das Leben führen kannst, dass du gerne führen magst. Kein Leben in Saus und Braus, sondern ein Leben ohne die unerträgliche Frage nach dem täglichen Auskommen. Kein Ferrari vor der Tür, aber ein Auto, das abbezahlt ist. Keine Villa, aber eine Wohnung, ein Zuhause, aus dem du im Rentenalter nicht ausziehen musst, weil der Mietzins nicht zu deiner finanziellen Situation passt. Und auch mal einfach wegfahren zu können, ohne sich tausend Gedanken darüber zu machen, was der Urlaub kostet, sollte möglich sein. Geld macht nicht glücklich, aber permanent einem finanziellen Druck ausgesetzt zu sein macht durchaus unglücklich.

Die Gründe, warum in der Realität so viele unter dem Druck finanzieller Not ihren Alltag bestreiten, sind sicher verschieden. In den meisten Fällen aber ist es ein falsches Verständnis von Kapitalmärkten. Diese Einstellung basiert auf Nichtwissen und auf falschen ideologischen Weltbildern. Die Schulen verpassen leider die Chance, uns in einer der wichtigsten Phasen unseres Lebens die wirklich wichtigen Dinge mit auf den Weg zu geben. Und dazu gehört für mich vor allem das Wissen um freie Märkte und der Umgang mit finanziellen Mitteln. Es reicht nicht, dass einmal im Jahr die Sparwoche der Volksbanken und Sparkassen stattfindet und jedes Kind belohnt wird, das eine gut gefüllte Spardose vorbeibringt. Es reicht nicht, dass vereinzelte Projekttage, bei denen gelegentlich auch einmal über globalwirtschaftliche Fragen und deren Bezug zu den eigenen Finanzen informiert wird, stattfinden und über den gesamten Schulalltag sonst nicht darüber gesprochen wird. Es reicht nicht, den Kindern Mathematik-Apps auf ihre sauteuren Smartphones zu installieren. Es braucht ein grundlegendes Umdenken in Sachen finanzieller »Erziehung«. Oder besser: Das Know-how über Finanzen und alle damit einhergehenden Dinge sollte jedem Menschen bereits früh mit auf den Weg gegeben werden. Als Eltern ist es nicht nur unsere Pflicht, unseren Kindern den richtigen Umgang mit Geld vorzuleben. Es ist auch an den Bildungsinstituten, den Kindern und Jugendlichen aktiv Wissen um Geldanlagen und Investitionen beizubringen.

Denn das Ergebnis dieses Unterlassens ist, dass die Heranwachsenden und später Erwachsenen nicht zwischen Produktionskapitalismus und Finanzkapitalismus unterscheiden können. Die meisten wissen nicht einmal, worum es sich bei den beiden Begriffen grundlegend handelt. Dabei ist genau das der Schlüssel zum Erfolg. Es ist das Geheimnis, warum es reiche und arme Menschen gibt. Warum manche quasi ohne viel Aufwand jährlich attraktive Renditen mit nach Hause nehmen können, während andere beim einst so angepriesenen Anlageprodukt noch draufzahlen müssen.

Solltest du jedoch zu denen gehören, die mir nun spontan eine astreine Definition zu den beiden Begriffen Produktionskapitalismus und Finanzkapitalismus liefern können, wäre ich überrascht. Warum? Weil ich mich im zweiten Schritt wundern würde, dass du dieses Wissen um den Unterschied zwischen dem Produktionskapitalismus und Finanzkapitalismus noch nicht nutzt, um deine finanzielle Situation zu verbessern. Warum du dein Know-how nicht einsetzt, um dein Geld gewinnbringend anzulegen und zu investieren. Du »musst« dieses Buch lesen, um zu erkennen, was der Produktionskapitalismus alles für dich leisten kann. Und vor allem, welche Rolle du in diesem gewinnbringenden Kreislauf einnimmst.

Ich gehe – entschuldige meine Pauschalierung an dieser Stelle – also davon aus, dass du keine Ahnung hast, freie Märkte dir fremd sind und dir Angst machen, weil sie Neuland sind, das dich abschreckt. Dabei sind doch Worte wie »frei« und »Markt« zunächst einmal grundlegend positiv besetzt. Damit wir hier mal auf einen Nenner kommen, der uns beiden demnächst als Multiplikator dient, noch einmal eine Erklärung zu den beiden Versionen des Kapitalismus. Wie gesagt, es ist wichtig, dass du die Funktionsweise beider verstehst, um den richtigen finanziellen Weg einzuschlagen.

Beginnen wir mit dem Produktionskapitalismus, den wir am Anfang dieses Kapitel schon einmal besprochen haben. Gemeint ist die Kombination aus Arbeit, Wissen, Rohstoffen und Kapital, die sich für den Wohlstand verantwortlich zeigt. Und das seit mehr als 400 Jahren. Ich selbst spreche daher gerne von der »größten Erfolgsgeschichte der Menschheit«. Ohne den Produktionskapitalismus würden wir noch immer wie im Mittelalter leben müssen. Kein fließendes warmes

Wasser, schlechte Kleidung und statt auf den Weg in den Supermarkt würden wir uns auf den Weg zur Jagd oder zum Sammeln in den Wald machen müssen.

Jeder von uns ist Teil dieser Erfolgsgeschichte. Doch nur die wenigstens nehmen das bewusst wahr, die meisten sind sich darüber nicht im Klaren. Es ist im Grunde ganz einfach: Der produktive Kapitalismus erschafft Waren und Dienstleistungen, und das nur aus einem Grund: Es besteht Nachfrage. So ist der Mensch, so bist du Teil des Produktionsprozesses. du leistest die Arbeit, bist Produzent. Auf der anderen Seite nutzt du die produzierten Waren und angebotenen Dienstleistungen, was dich zeitgleich zum Konsumenten macht.

Im Vergleich geht es beim Finanzkapitalismus nicht um Waren und Dienstleistungen. Im Fokus steht das Geld oder besser: die Geldvermehrung. Es wir mit Geld spekuliert, es werden Wetten getätigt. In der Regel sind die Wettenden aber nicht Eigentümer der Gelder, mit denen sie spekulieren. Kein Wunder also, dass die Risikobereitschaft groß ist. Die fast schon logische Folge aus dieser kuriosen Situation: Es kommt zu Verlusten und Skandalen, die final zur totalen Krise führen. Bestes Beispiel: die Finanzmarktkrise im Jahr 2008. Sie hat die Menschen darin bestärkt, am guten alten Sparbuch festzuhalten oder im Härtefall das eigene Geld zu Hause zu verwahren. Beides sorgt nicht gerade für eine lukrative Rendite.

Menschen lassen sich aber bereitwillig vom Finanzmarktkapitalismus verführen und springen auf Anlageformen an, die hohe Renditen und wenig oder sogar gar kein Risiko versprechen. Grund dafür ist unsere Verlustaversion. Verluste fallen für uns doppelt ins Gewicht. Gewinnen messen wir weniger Wert bei. Kurzfristige Schwankungen am Kapitalmarkt sind für uns Vollkatastrophen und verleiten dazu, alles hinzuschmeißen. Dabei sind sie normal – sie sind jedoch alles andere als langfristige Verluste und schon gar keine Totalpleite. Ein Argument, warum »Immobilien« gerne als sichere Anlageform verkauft und angesehen werden, ist, dass diese keine Schwankungen aufweisen. Die Wahrheit ist, dass Immobilien sehr wohl Schwankungen ausgesetzt sind. Der Unterschied ist nur, dass diese im Gegensatz zu den Wertveränderungen an den Kapitalmärkten für dich nicht erkennbar und damit auch nicht fühlbar sind. Würde man an eine Immobilie eine Art »EKG« anlegen, wärest du überrascht, welche Schwankungen hier plötzlich sichtbar würden. Die Immobilie als »die sichere« Anlageform ist ein Märchen. Es ist hier wie beim Lottospielen. Es wird immer nur von den Gewinnern berichtet, dass aber sehr viele Menschen durch Immobilienanlagen nachhaltig geschädigt wurden und werden, wird nur ungern akzeptiert. Wir haben die »Immobilienstory« von unseren Eltern gehört und »die Eigentumswohnung als sichere Geldanlage« ist jedem von uns irgendwann schon einmal untergekommen. Es wird genauso gemacht, weil es schon immer so gemacht wurde. Die Sinnhaftigkeit wurde aber nie hinterfragt. Die Vorstellung ist einfach zu schön, mit der »sicheren« Immobilie vor den »unsicheren« Kapitalmärkten flüchten zu können. Immobilien dienen immer wieder gerne als heiße Anlagetipps. Gerne auch als Betongold bezeichnet. Gerade in unsicheren Zeiten, da bei Immobilien die Preisschwankungen nicht sichtbar sind.

Dr. Gerd Kommer schreibt dazu in seinem Buch *Kaufen oder Mieten. Wie Sie für sich die richtige Entscheidung treffen*[9]:

»Viele Privathaushalte in Deutschland sehen es als nahezu selbstverständlich an, dass Vermietungsimmobilien für sie selbst, also für sogenannte Kleinvermieter (Jargon des Statistischen Bundesamts) eine rendite- und risikomäßig attraktive Investmentkategorie seien. Wir hinterfragen diese Binsenweisheit und kommen zu einer abweichenden Schlussfolgerung. Auffällig in diesem Zusammenhang ist, dass weder Wissenschaft noch Immobilienbranche belastbares Zahlenmaterial zu den historischen Eigenkapitalrenditen privater Immobilienanleger publizieren.«

Hinter den vielversprechenden Anlageoptionen, die mit hohen Renditen und wenig oder sogar keinen Schwankungen werben, steckt immer mehr Schein als Sein. Auch hier gibt es Schwankungen. Diese werden aber kaschiert, und zwar so lange, bis aus den kleinen Bewegungen eine riesige Welle geworden ist. Eine zerstörerische Welle, die zu unglaublich hohen Verlusten führen kann. Die vielen Anlegerskandale in Deutschland sprechen hier eine deutliche Sprache.

Der Finanzmarktkapitalismus ist somit nicht mal mehr eine Nullnummer. Sein Erfolg basiert auf künstlich erzeugter Nachfrage. Verkauft werden Produkte, die den Menschen meist nicht dienlich sind, sondern die Gelder in die Kassen der Banken, Finanzinstitute und Berater spülen. Ganz gezielt wird den Kunden nichts über die unglaubliche Kraft von produktiven Kapitalmärkten erzählt. Stattdessen wird suggeriert, mit magischen Rezepten das Geld des Kunden zu vermehren und ihn vor allem vor Verlusten zu schützen. Es werden hier bewusst oder auch unbewusst falsche Hoffnungen geweckt.

Fortschritt entsteht durch Forschung und Innovation. Unser medizinischer Fortschritt basiert auf Forschung und Entwicklung. Unsere neuesten Autos und Smartphones sind das Ergebnis von permanenter Weiterentwicklung. Auch im Bereich Kapitalmärkte wird laufend geforscht. Durch die Erfindung des Computers in den 1970er-Jahren konnten in der Finanzmarktforschung immer höhere Datenmengen verarbeitet werden. Als Ergebnis können wir heute sehr gut erklären, wie Kapitalmärkte funktional arbeiten, und daraus sogar Verhaltensregeln ableiten. Das Einhalten dieser Regeln ermöglicht es Anlegern, zwischen Investieren und Spekulieren zu unterscheiden. Große Teile der Finanzindustrie ignorieren jedoch diese Regeln – sie benehmen sich wie ein Pilot, der vor Abflug nicht alle sicherheitsrelevanten Checklisten durchgeht und der Meinung ist, die aerodynamischen Gesetze haben für ihn keine Geltung.

Kein Wunder, dass es so zu »Unfällen« kommt, bei denen Anleger viel Geld verlieren. Diese Unfälle passieren jedoch nicht, weil Börsen »Teufelszeug« sind. Sie passieren, weil aus geschäftspolitischen Gründen simple Verhaltensregeln missachtet werden. Keiner von uns würde mit Fluggesellschaften fliegen, in denen die Sicherheitsstandards nicht eingehalten werden oder Maschinen mit veralteter Technik noch im Einsatz sind.

Wie beschrieben, haben in den letzten 100 Jahren globale Kapitalmärkte – die Welt AG – durchschnittlich rund 10 Prozent jährliche Rendite erwirtschaftet. Und du und ein Großteil deiner Mitmenschen hat das auf der einen Seite gar nicht mitbekommen und auf der anderen noch weniger den eigenen Anteil eingefordert. Und das, obwohl wir alle Teil dieses unglaublichen Erfolgs sind.

Märkte und Geld sind für Menschen da. Der Produktionskapitalismus ermöglicht es dir und mir, unser hart erarbeitetes Geld mittels Aktien und Anleihen gezielt in den globalen Produktionsprozess, eben in die Welt AG zu stecken. Und damit garantiert es uns am Ende einen nicht unwesentlichen Profit.

Dieses Buch ist mein Mittel zum Zweck, um Deutschland und die Welt zu einem besseren Platz für Anleger zu machen. Und zu einem effektiveren Schaffensraum für Finanzberater. Mein Ziel ist, den Anteil der Menschen, die vom produktiven Kapitalismus profitieren, bis in das Jahr 2035 auf 30 Prozent und mehr zu erhöhen. Dazu habe ich Anfang 2020 – quasi zum bestmöglichen Zeitraum, um mal ein wenig sarkastisch zu sein – das Unternehmen »30plusX« gegründet.

Mit meinen Partnern habe ich eine Plattform geschaffen, die Privatanlegern und Finanzberatern den Weg zu einem neuen Kapitalmarktverständnis und zu neuen Anlagelösungen ebnet. Auf eine bisher nicht gekannte Art arbeiten wir daran, die nächste Generation von Finanzberatung in Deutschland einzuführen. Dabei arbeiten wir gemeinsam mit den Kunden wie auch den Akteuren der Branche, um auf beiden Seiten mehr Verständnis, mehr Know-how und vor allem darauf basierend innovative Ideen zu entwickeln.

Meine Vision ist eine Welt, in der Menschen und ganze Gesellschaften von der größten Erfolgsgeschichte der Menschheit profitieren. Eine Welt, in der Menschen ihre finanziellen Möglichkeiten voll ausnutzen. Es ist dein Recht, schließlich bist du zentraler Bestandteil dieser Geschichte und natürlich auch dieser Welt.

Ändern wir gemeinsam das Verständnis und die Perspektive der Menschen auf Kapitalmärkte. Ändern wir die Art und Weise, wie wir unser Geld anlegen. Der produktive Kapitalismus hat seit seinem Beginn vor vielen Jahren mehr Menschen aus der Armut geführt als jede andere Wirtschaftsform. Die Kombination Konsument und Produzent ist das Geheimnis, das wir an die Oberfläche holen müssen. Kapitalmärkte sind nicht nur etwas für reiche Menschen, sie können jeden von uns wohlhabend machen. Es ist an dir, deinen Profit einzufordern.

Kapitel 3

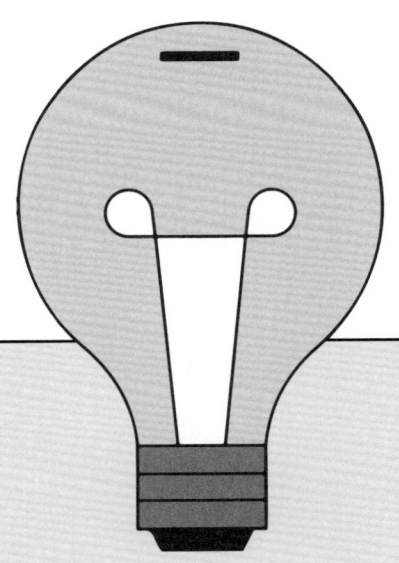

Es geht um dich

oder warum »jetzt« immer der beste
Zeitpunkt ist, anzufangen

*E*in gutes Leben, gut zu leben. Für jeden von uns bedeutet das etwas anderes. Daher gibt es keine richtige oder falsche Antwort auf die Frage: Was ist in diesem Fall mit »gut« gemeint? Je älter wir werden, desto mehr begreifen wir, dass »gut« kaum etwas mit materiellen Dingen zu tun hat. »Gut« kommt aus dem Inneren und wird auch da beurteilt. Beziehungen zu anderen Menschen, schöne Erfahrungen, Erinnerungen und Erfüllungen, das sind die Dinge, die glücklich machen. Schon der Volksmund sagt »Geld macht nicht glücklich«. Da ist viel Wahres dran. Aber auf der anderen Seite wissen wir alle – über Grenzen, Kulturen und Geschlechter hinweg: Geld eröffnet Möglichkeiten. Es gibt uns die Chance, zu leben. Ein Leben, wie wir es wollen, uns wünschen, es uns glücklich macht.

Wie viel Geld es dafür braucht, damit dein Leben ein gutes, glückliches ist, das kannst nur du entscheiden. Das weißt auch nur du. Und jeder Tag wird dir aufs Neue vor Augen führen, ob es gerade richtig gut läuft oder du auf Abwege geraten bist. Und um das zu merken, braucht es nicht viel. Die Allzweckwaffe: der gute alte Menschenverstand.

Bewusst fragen, hinterfragen und bewusst dazulernen. Es geht um dich, dich als Mensch. Es geht um deine Familie. Es geht darum, wie dein Leben sein soll. Heute und zukünftig. Du musst kein Bankkaufmann sein, du musst nicht studiert haben. Jedem steht sein Anteil an der unglaublichen weltweiten Wertschöpfung zu. Damit meine ich Folgendes: Du gehst jeden Tag zur Arbeit und bekommst dort ein Gehalt. Oder du bist selbstständig und erhältst für deine Leistungen und Produkte ein Honorar. Du tauschst deine Lebenszeit gegen Geld. Und mit diesem Geld kaufst du Dinge wie Lebensmittel und Produkte des alltäglichen Gebrauchs. Aber natürlich auch Dinge, die du einfach gerne haben möchtest. Die Frage ist, wie gut du tauschst. Für alle hat der Tag 24 Stunden oder 1 440 Minuten oder 86 400 Sekunden. Diesen Fakt kann keiner verändern. Jeder Mensch hat unterschiedliche Zahlen auf seinem Bankkonto. Also muss es auch unterschiedliche Tauschverhältnisse geben. Lass uns das einmal näher anschauen. Deinen Lohn kann dir dein Arbeitgeber dann zahlen, wenn das Unternehmen Umsatz macht und profitabel ist. Dafür erschaffst du zusammen mit Kollegen einen Wert in Form eines Produkts oder einer Dienstleistung. Und um diese zu kaufen, geben wiederum andere Menschen einen Teil ihres Lohns ab. Aus ihrem Lohn wird dein Lohn, weil sie Geld gegen etwas tauschen, das ihnen einen Vorteil bringt. Oder wie Werner Plumpe es ausdrückte: »Der Erfolg des Kapitalismus liegt in der Erleichterung des alltäglichen Lebens und der Steigerung des Lebensgenusses begründet.«

Unternehmen, die das erfolgreich hinbekommen, gewinnen an Wert. Sie nehmen an Wert zu, wenn nach Abzug aller Kosten ein Gewinn steht. Unternehmen müssen profitabel sein, um sich weiterzuentwickeln. Sie müssen investieren. Profit darf nicht alles sein, aber ohne Profit ist alles nichts. Unternehmen müssen zwingend in dieser Weise verantwortlich geführt werden. Nur so erschaffen sie einen Mehrwert in der Gesellschaft. Dein Lohn wird aus diesem Erfolg heraus bezahlt. Das ist es dann aber auch schon. An dem Wertezugewinn, den das Unternehmen jährlich anhäuft, hast du in der Regel keinen Anteil. An diesem partizipieren nur Menschen, die Anteile am Unternehmen halten. Und zwar in Form von Aktien. Ein Grund für die immer wieder aufflammende Kritik am Kapitalismus ist die brutale Gewinnorientierung, mit der Unternehmen zum Teil geführt werden. Dieser Gewinnorientierung wird alles untergeordnet. Wie ich sagte, müssen Unternehmen profitabel geführt werden. Wenn Gewinn allerdings zum alleinigen Ziel wird und nicht das Ergebnis unternehmerischen, verantwortlichen Handelns ist, geht der gute Geist verloren. Unternehmen werden kaputtgespart. Der Grund dafür ist, dass am Ende des Jahres so viel Geld wie möglich an die Anteilseigner ausgeschüttet werden kann. Und in vielen Fällen nur, damit der Vorstand sich einen großen Bonus einstecken kann.

Dieses Verständnis von Unternehmensführung wird »Shareholder Value« (Anteilseigner-wertorientiert) genannt und stammt aus den 1970er-Jahren. Seitdem ist es das Mantra, das an Universitäten und Business Schools gelehrt wird. Allerdings mit katastrophalen Auswirkungen. Die Finanzmarktkrise war unter anderem das Ergebnis dieser Form von Unternehmensführung. Es wurde massenhaft an Wert vernichtet anstatt geschaffen. Die Lehranstalten haben bis vor Kurzem diese Auswirkungen hochnäsig ignoriert, sodass berechtigte Zweifel an ihrer Lernfähigkeit angemeldet werden. Langsam setzt sich aber ein anderer Ansatz durch: Dieser nennt sich »Stakeholder Value« und bedeutet so viel wie »Beteiligtenwerterhöhung«. Im Gegensatz zum Shareholder Value bezieht diese Unternehmensführung alle Beteiligten mit ein: Mitarbeiter, Kunden, Gesellschaft und die Anteilseigner. Diese Form der Unternehmensführung ist bisher eher unbekannt, aber erfolgreich – und zwar für alle, die mit drin- und dranhängen. Der gesunde Menschenverstand erklärt das sehr einfach: Hat ein Unternehmen engagierte und zufriedene Mitarbeiter, sind auch die Kunden zufrieden und glücklich. Das Ergebnis von zufriedenen Mitarbeitern und zufriedenen Kunden ist unternehmerischer Erfolg und am Ende rechnet sich das auch für die Anteilseigner. Das ist ein vollkommen logischer Prozess. Diese Form der Unternehmensführung wird sich durchsetzen und die »Rambo«-Unternehmenslenker und Shareholder-Value-Professoren werden nach und nach wie Videotheken und Telefonzellen aus unseren Leben verschwinden.

Immer häufiger kommt es vor, dass Mitarbeiter in Form von Sonderzahlungen wie Boni oder durch die Vergabe von Mitarbeiteraktien an der Wertsteigerung beteiligt werden. Leider ist das aber noch eher die Ausnahme. Und das auch, weil in Deutschland noch vergleichsweise wenige Unternehmen an der Börse notiert sind. Das ist aber nicht weiter schlimm, haben wir doch die Chance, grenzüberschreitend zu investieren und Aktien der globalen Werkbank, der »Welt AG« zu kaufen. Wie das geht, dazu später mehr.

Die Funktionsweise der freien Märkte ist komplex – das steht außer Frage. Aber du musst nicht jedes Detail verstehen. Wichtig ist, dass du weißt, wie du sie am besten zum Aufbau deiner Wohlstandsanlagen nutzen kannst. Es ist wie mit dem Computer, dem Smartphone, dem

Staubsauger oder der Küchenmaschine – du musst den Umgang beherrschen. Welche Technik aber dahintersteckt, braucht dich nicht zu interessieren. Du kannst es auch mit dem Autofahren vergleichen. Du »musst« wissen, wie du das Auto fährst. Was im 300 Seiten umfassenden Handbuch im Handschuhfach steht, das kannst du wissen, musst du aber nicht. Du wirst das Auto auch gut und sicher fahren, wenn du die 300 Seiten nicht gelesen hast. Das Handbuch macht dich nicht zu einem besseren Fahrer. Schon Geoffrey West schrieb in seinem Buch *Scale: Die universalen Gesetze des Lebens von Organismen, Städten und Unternehmen*[10]: »Der außerordentlichen Komplexität und Diversität von vielem, was um uns herum ist, liegt eine verborgene Simplizität und Regularität zugrunde.«

Und je früher du anfängst, desto besser. Es ist richtig, dass jeder schon in jungen Jahren beginnen sollte, sein Geld auf den freien Märkten arbeiten zu lassen. Dabei reichen 25 Euro im Monat aus. In jungen Jahren sind die Interessen anders gelagert und man glaubt, ewig jung zu bleiben. Dann dreht man sich zwei Mal um und feiert seinen 40. Geburtstag. Auf einmal geht alles ganz schnell, und was gestern noch weit weg war, ist plötzlich Gegenwart. Du wirst beim Weiterlesen erfahren, dass Zeit bei diesem Vorhaben einer der entscheidenden Erfolgsfaktoren ist. Es darf nicht mehr länger uncool sein, sich in jungen Jahren mit seinen Wohlstandsanlagen zu beschäftigen. Hat man es jedoch verschwitzt, ist das kein Grund zur Panik. Auch wer erst später einsteigt, wird von der Funktionsweise der freien Märkte profitieren. Allerdings wird als Ergebnis im Vergleich am Ende viel weniger in der Kasse sein als bei demjenigen, der früher damit begonnen hat. Was es braucht, ist ein Anfangen.

Gerade in Krisenzeiten sind Menschen verunsichert und suchen nach Erklärungen und Wegen, um in der Zukunft finanziell abgesichert zu sein. Solche Zeiten sind prädestentiert für sogenannte Crashpropheten. Das sind Leute, welche die letzten Jahre immer wieder vor dem nächsten Crash gewarnt haben. Fakt ist jedoch, dass niemand dieser angeblichen Propheten das Corona-Virus vorhergesehen hat. Das wird jetzt mit großer Fantasie von den »Crashies« jedoch anders ausgelegt. Es gab Crashs und wird auch immer Crashs geben. Wenn ein Crashprophet einfach stoisch immer und immer wieder den nächsten Crash vorhersagt, wird auch irgendwann wieder einer kommen. Dazu musst du Folgendes wissen: Es ist nicht möglich, Marktprognosen vorzunehmen. Diese Tatsache ist uralt, der Irrtum aber immer wieder neu. Und in Ergänzung dazu:

»Es gibt drei Gruppen von Menschen, seien es nun Groß- oder Kleinanleger: Erstens jene, die nicht wissen, in welche Richtung sich der Markt bewegt, zweitens jene, die nicht wissen, dass sie es nicht wissen, und drittens jene, die wissen, dass sie es nicht wissen, deren Lebensunterhalt jedoch davon abhängt, dass es so scheint, als ob sie es wüssten.«[11]

Dieser kluge Satz stammt nicht von mir, sondern von dem US-amerikanischen Autoren und Neurologen William Bernstein, der mit seinem Buch *Die intelligente Asset Allocation – wie man profitable und abgesicherte Portfolios erstellt* ein überaus lesenswertes Buch geschrieben hat.

Crashpropheten gehören eindeutig zur dritten Gruppe. Nassim Nicholas Taleb schreibt in seinem Buch *Der schwarze Schwan. Die Macht höchst unwahrscheinlicher Ereignisse*[12]:

»Wir produzieren Projektionen für die Ölpreise und die Defizite bei der Rentenversicherung, die sich über 30 Jahre erstrecken, ohne zu erkennen, dass wir nicht mal die Entwicklung im nächsten Sommer vorhersagen können. Die Summe unserer Fehler bei der Vorhersage politischer und wirtschaftlicher Ereignisse ist gigantisch. Bei den selbst ernannten Experten, wenn man sich ihre Ergebnisse ansieht, kann man nur den Schluss ziehen, dass auch sie nicht mehr über ihr Fachgebiet wissen als die Gesamtbevölkerung, sondern nur viel bessere Erzähler sind – oder, was noch schlimmer ist, uns meisterlich mit komplizierten mathematischen Modellen einnebeln.«

Niemand kann dir also den richtigen Zeitpunkt verraten, wann es am gewinnbringendsten ist, dein Geld anzulegen und wie – weil eben niemand in die Zukunft schauen kann. Daher: Der beste, der richtige Zeitpunkt anzufangen ist immer »heute«, ist immer »jetzt«. Legen wir also los. Und beginnen mir mit der Frage, was es braucht, damit du als Anleger erfolgreich bist. Im Grunde nicht viel. Wichtig sind wenige Faktoren:

A wie *Anlageprodukt*,
K wie *Kapital*,
Z wie *Zeit*,
I wie *Institut (Bank oder Versicherung)*,
W wie *Wissen*.

Das sind die fünf Zutaten für ein lecker schmeckendes, finanziell unabhängiges Leben.

Anlageprodukt **(A)** + Kapital **(K)** + Zeit **(Z)** + Institut **(I)** + Wissen **(W)** = erfolgreicher Anleger beziehungsweise finanziell unabhängiges Leben

— *Christoph R. Kanzler* —

Dazu kann auch dieses Video interessant sein:

Lass uns herausfinden, wie es bei dir ausschaut. Was du von diesen Dingen schon daheim hast. Lass uns ehrlich sein, wo Nachholbedarf besteht und wo du bereits echt gut bist. Beginnen wir beim A, dem Anlageprodukt. Deutschland ist für dieses A ein Schlaraffenland. Jeden Tag gibt es unzählige Produktinnovationen und jede ist besser als das, was es bisher gab. Das Problem: Die meisten dieser Anlageprodukte sind sehr komplex und eignen sich kaum für dich als Anleger.

Mit Blick auf deinen finanziellen Einsatz – der Zutat K – kann ich nur sagen, dass sich schon 25 Euro im Monat gewinnbringend einsetzen lassen. Bereits mit 25 Euro kannst du dich mit einem Fondssparplan an der Welt AG beteiligen und so von dem Wertzuwachs profitieren. Du musst nicht erst Tausende Euro ansparen, um dabei zu sein. 25 Euro sind Geld und eine hohe Summe für den Rentner bei meinem Arzt. Für dich aber, der noch nicht vom (Renten-)System abhängig ist, ist das machbar. Du hast noch etwas Zeit. Wobei wir beim nächsten Punkt »Z« sind.

Wer Wohlstandsanlagen aufbauen will, der beginnt möglichst früh damit und lässt die Zeit für sich arbeiten. Das Renteneintrittsalter wird zunehmend steigen. Heute liegen wir in Deutschland bereits bei 67 Jahren, in der Schweiz bei 65 Jahren für Männer und bei 64 Jahren für Frauen. Wenn du mit 20 anfängst, dich an der Welt AG zu beteiligen, kann dein Geld ganze 48 Jahre von der Kraft freier Märkte profitieren. Welches unglaubliche Potenzial darin steckt, dazu später mehr. Es ist aber nie zu spät. Auch wenn du jetzt 30 oder 40 oder älter bist, fange nun an, das Richtige zu tun und die verbleibende Zeit für dich arbeiten zu lassen.

Damit das Ganze funktioniert, brauchst du zudem Banken und Versicherungen und – die Zutat »I«. »I« steht für Institut und in diesem Fall übergeordnet für eine Bank oder ein Versicherungsunternehmen. Sie erfüllen einen wichtigen Zweck in unserer Gesellschaft. Leider aber haben viele ihre ursprüngliche Aufgabe vergessen und sind vom rechten Weg abgekommen. Welche notwendigen Dienstleistungen dir Banken und Versicherungen in diesem Zusammenhang anbieten, auch darauf kommen wir etwas später in diesem Buch zu sprechen. Step-by-Step, wie ich in der Einleitung schrieb. Wissensaufbau bedeutet, sich Schritt für Schritt und logisch aufeinander aufbauend weiterzubilden. Womit wir auch bei der wichtigsten Zutat sind: das »W« wie Wissen.

Es gibt ausreichend Kapital, es gibt ausreichend Zeit, es gibt ausreichend Banken, Versicherer und Produkte. Was uns fehlt, ist Wissen – das richtige Verständnis um die Funktionsweise der freien Märkte. Die Finanzbildung in Deutschland ist im Verhältnis zu anderen Ländern unterdurchschnittlich. Oder besser, sie ist unterirdisch. Die meisten Menschen schrecken vor Kapitalanlagen zurück, weil sie glauben, sie seien Teufelszeug. Sie haben Angst davor. Gegen diese Angst wird auch nichts unternommen. Die Angst ist das Symptom, die Ursache ist Unwissenheit. Anstatt sich der Ursache »Unwissenheit« zu widmen, wird dem Symptom »Angst« mit allen nur denkbaren magischen Rezepten begegnet, die den Menschen suggerieren, sie vor Verlusten schützen zu können.

Mit dieser pseudofaktischen Panik vor Kapitalmärkten lassen sich Menschen in Deutschland seit Jahrzehnten um Milliarden Deutsche Mark und seit dem Jahr 2002 um nicht weniger Euros bringen.

An vorderster Front mischt dabei auch der Staat mit. Der verkauft sehr gerne seine Anleihen, weil er immer wieder Geld braucht. Die größten Käufer dieser Anleihen sind Versicherer und Banken. Genutzt werden dabei Gelder, die auf schlecht verzinsten Sparbüchern und in Lebensversicherungen mit garantierter Verzinsung liegen. Würden nun plötzlich die Menschen in Deutschland die Funktionsweise freier Märkte verstehen und das Geld abziehen, um es in die Welt AG zu stecken, würde sich das Spiel zu Ungunsten des Staats verändern.

Das Argument, wir Deutsche seien risikoavers und würden um Gottes Willen jede Art des Risikos meiden, ist ebenfalls an den Haaren herbeigezogen. Denken wir an die Millionen Lottospieler. Doch es wird von Teilen der Finanzindustrie und der Politik quasi schon mantramäßig wiederholt. Immer mit dem Ziel, dass wir das auch bitte ja nicht vergessen. Doch nein, wir sind kein Volk der Risikovermeidenden. Wir haben schlichtweg ein falsches Verständnis von dem Risiko, das ein Investment in die freien Märkte mit sich bringt. Die unzähligen Anlegerskandale in Deutschland, von denen ich schon berichtet habe, sprechen eine deutliche Sprache.

Wir alle wollen Verluste vermeiden, da unterscheiden wir uns von keinem anderen Menschen in einem anderen Land. Doch die Realität zeigt, wir lassen uns regelrecht zu Verlusten hinreißen. Wir legen unser Geld so an, dass wir nur verlieren können. Auch wenn es uns anders verkauft wird und sich die Auswirkungen erst nach vielen Jahren offenbaren.

Daher ist es so wichtig, dass wir nicht nur umdenken. Vor allem müssen wir mit dem Andersdenken beginnen. Uns um unser Wissen bemühen, es uns aktiv aneignen. Es geht dabei nicht um komplexe Zusammenhänge oder höhere Mathematik, es braucht nur den gesunden Menschenverstand und Offenheit. Wenn nichts und niemand die Zukunft vorhersagen kann, wie soll es dann möglich sein, die Entwicklung von Aktien, Märkten oder sogar von Crashs voraussagen zu können? Vieles ist in der Finanzindustrie mehr Schein als Sein. Das Geheimnis erfolgreicher Kapitalanlagen ist das Geheimnis, dass es keines gibt.

Sicher hast auch du schon gelesen, dass das Zinsniveau bei null liegt. Auch die Zinsentwicklung kann im Übrigen niemand prognostizieren. Dies ist jedoch nur die eine Seite, die sich Sparbuch nennt. Hier ist mit Zinsen kein Reibach zu machen. So gab es im Jahr 1980 noch im Durchschnitt sagenhafte 4,6 Prozent an Zinsen auf das gesparte Geld. Über die Jahre nahm diese Zahl aber kontinuierlich ab, sodass wir 2018 gerade noch 0,2 Prozent erhielten.[13] Du siehst, das Sparbuch ist wirklich nicht mehr das, was es mal war.

Was ist aber eigentlich der Zinseszinseffekt? Albert Einstein betitelte dieses Phänomen einst als »achtes Weltwunder«. Das Konzept hinter dem Zinseszins ist so einfach, wie es genial ist. Du verdienst im Grund mit Geld Geld. Einfach, weil jedes Jahr die Wertsteigerung auf den bestehenden Betrag draufgeschlagen wird und sich im Folgenden ebenfalls vermehren kann. Daher auch der Ausdruck »dein Geld für dich arbeiten lassen«.

Die Kraft dieses Effekts lässt sich an einem einfachen Beispiel festmachen. Ich weiß nicht, was du am Morgen für deinen Coffee oder Tea To-Go auf den Tresen legst. Ich habe da meinen Kioskbesitzer des Vertrauens und zahle 2,50 Euro. Das macht bei fünf Arbeitstagen pro Woche im Monat 50 Euro. Sprich: 2,50 Euro mal fünf Tage mal vier Wochen. Im Jahr komme ich so auf 600 Euro (50 Euro mal 12 Monate), die ich dafür ausgebe, dass ich zu faul bin, morgens auf den Knopf meiner Kaffeemaschine zu drücken und dann und wann neue Bohnen oder Wasser nachzufüllen.

Stellen wir uns nun einmal vor, dass wir das Ganze über zehn Jahre betrachten. Wir gehen dabei davon aus, dass das Geld regelmäßig in einem breiten, global investierten Aktienfond – eben in die Welt AG – angelegt wird mit einer durchschnittlich zu erwartenden Rendite von 7 Prozent. Das heißt also, anstatt jeden Monat 50 Euro für Kaffee To-Go auszugeben, kannst du diese 50 Euro über einen monatlichen ETF-Fondssparplan in die Welt AG investieren. Über zehn Jahre sparst und investierst du also 6 000 Euro. Bei 7 Prozent durchschnittlich zu erwartender Rendite werden aus den 6 000 Euro, indem sie in der Welt AG arbeiten, 8 600,94 Euro. Bedeutet: Du machst 2 600 Euro Gewinn. Angenommen, du verzichtest weiterhin auf den Kaffee To-Go und investierst weitere zehn Jahre, macht die Welt AG daraus fast 25 520,30 Euro innerhalb von 20 Jahren. Das ist dann ein Gewinn von 13 520,30 Euro. Und das einfach dadurch, dass du deinen Kaffee zu Hause getrunken hast! Hier kannst du die unglaubliche Kraft des Zinseszinseffekts und des Faktors »Zeit« erkennen.

Es gibt zudem eine Faustregel, die veranschaulicht, wie viele Jahre es braucht, damit sich dein eingesetztes Kapital verdoppelt. Die sogenannte 72er-Regel.[14]

Du lässt dein Geld mit Zinsen von 0,50 Prozent arbeiten: 72 : 0,5 = 144. Das bedeutet: Es braucht 144 Jahre, bis sich dein Kapital verdoppelt. Eher unwahrscheinlich, dass du das noch erleben wirst.

Gehen wir also von 1 Prozent Zinsen aus: 72 : 1 = 72. Das bedeutet: Es braucht 72 Jahre, bis sich dein Kapital verdoppelt. Wenn du erst mit 40 Jahren anfängst zu investieren, ist es auch hier absehbar, dass du das nicht erleben wirst.

Nehmen wir also 2 Prozent Zinsen: 72 : 2 = 36. Das bedeutet: Es braucht 36 Jahre, bis sich dein Kapital verdoppelt. Die Aussichten sind gut, dass du das erleben darfst.

Doch machen wir mal einen Sprung und gehen davon aus, du hast dein Geld in die Welt AG investiert und bekommst 7 Prozent: 72 : 7 = 10,2. Das bedeutet: Es braucht 10,2 Jahre, bis sich dein Kapital verdoppelt. Du siehst, es lohnt sich, dass du dein Verständnis über Kapitalmärkte änderst und ihre unheimliche Kraft nutzt.

Das Portal www.zinsen-berechnen.de liefert dir ganz einfach eine individuelle Antwort darauf, was du investieren musst oder solltest, um den von dir gewünschten Betrag zu erreichen.

Viele Menschen, ich würde sogar behaupten die meisten Menschen, glauben, dass die Kraft der freien Märkte nur den Reichen und Wohlhabenden zur Verfügung steht. Es braucht Geld, damit sich ein Einsatz rechnet. Doch es braucht kein gigantisches Vermögen. Es braucht – wie du am Beispiel des Kaffees sehen kannst – wenige Euro, wenige Dollar, Franken oder Pfund. Es braucht einfach Wissen, um überhaupt darauf zu kommen, dass es auch anders funktionieren kann. Und dann braucht es zwingend das Machen, das Tun, das Anfangen. Die Kraft der Märkte ist ein Allgemeingut. Jeder kann sich seiner bedienen. Jeder darf, aber nur wenige wollen. Dabei wären speziell die Menschen, die ein durchschnittliches Einkommen haben, bestens bedient.

Gerade ihnen rate ich dazu, ihr Geld für sich arbeiten zu lassen. Und je früher du damit anfängst, desto besser. Der Zinseszins ist ein Freund der vergehenden Zeit und macht aus regelmäßig angesparten Kleinstbeträgen auf Dauer imposante Summen.

Kapitel 4

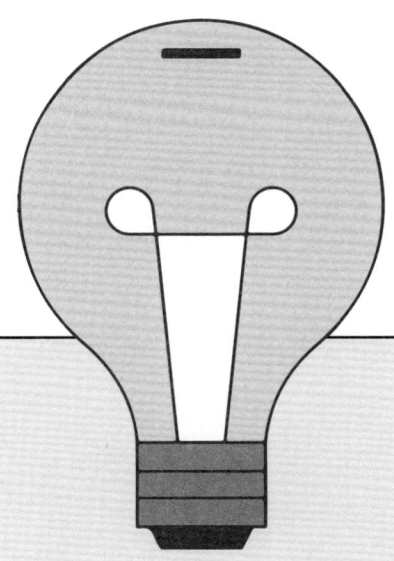

Die Funktionsweise von Kapitalmärkten

oder was Warren Buffett
seinen Aktionären schrieb

Nur wenige Menschen in Deutschland verstehen, wie Kapitalmärkte grundlegend funktionieren. Es wurde schlichtweg vergessen, uns das zu erklären. Sei es in der Schule oder später in Form von Medien oder anderen Informationskanälen. So bekommen wir zwar in den Nachrichten mitgeteilt, ob der DAX gesunken oder gestiegen ist oder auch, wie sich der Euro im Vergleich zum Dollar entwickelt hat. Wir werden bombardiert mit Fachausdrücken und komplexen Produkten, deren Funktionsweise selbst die meisten Berater nicht verstehen. Und dennoch kommen sie kompetent genug rüber, sodass wir am Ende doch unser Geld in eines dieser Produkte stecken. Von den wirklich effektiv erfolgreichen Anlagen, für die wir uns auch entscheiden könnten, erfahren wir aktuell noch eher selten.

Bevor ich wirklich einsteige in eine Sache, die dich endlich finanziell durchatmen lässt und – einmal verstanden – richtig Spaß macht, noch eine kleine Geschichte. Sie zeigt, woher die Kraft des Wertzuwachses von investiertem Geld kommt. Sie erklärt, wie sich Anleger optimalerweise verhalten sollten. Und warum Berater mit einem falschen Fokus selten wert-voll sind. Vor allem, wenn sie in zu hohen Tönen über potenzielle Ertragssteigerungen singen.

Ihren Ursprung hat die Geschichte im Geschäftsbericht der Unternehmensgesellschaft Berkshire Hathaway, die dem Milliardär Warren Buffett gehört. Der wollte seinen Aktionären einmal plakativ aufzeigen, woher Renditen kommen und welches Verhalten erfolgreiche Anleger auszeichnet – und welches falsche Verhalten die Renditen wie Eis in der Sonne schmelzen lässt.

Buffetts Geschichte fand später ihren Weg in das Buch *Das kleine Handbuch des vernünftigen Investierens* von John C. Bogle.[15] In beiden

Geschichten hört die Familie, um die es geht, auf den Namen »Gotrock«. Ich habe daraus die »Familie Schmidt« gemacht und zudem die Story an der einen oder anderen Stelle mit Blick auf den Schauplatz Deutschland angepasst. Beginnen wir mit dem »Es war einmal …«

Es war einmal die Familie Schmidt. Sie war eine wohlhabende Großfamilie, aus der über viele Generationen hinweg viele Brüder und Schwestern, Tanten und Onkel, Cousins und Cousinen hervorgegangen waren. Den Schmidts gehörten in dieser Geschichte 100 Prozent aller in Deutschland an der Börse gehandelten Unternehmen – also die Deutschland AG. Jedes Jahr ernten sie die Früchte ihrer Anlagen. Dazu gehören sämtliche Ertragssteigerungen, welche die vielen hundert Unternehmen mit ihren Mitarbeitern erwirtschaftet haben, sowie alle Dividenden, die ausgeschüttet wurden. Alle Mitglieder der Familie Schmidt wurden jedes Jahr um den gleichen Betrag wohlhabender. Es herrschte Freude und Harmonie. Die Erträge häuften sich über die vielen Jahrzehnte an und das Familienvermögen wuchs konstant und erwartbar. Die Familie Schmidt profitierte von der Funktion und der Kraft der freien Märkte.

Doch eines Tages erschienen wortgewandte Berater und redeten gleich mehreren Mitgliedern der Großfamilie Schmidt ein, sie könnten sich einen größeren Anteil der jährlichen Unternehmensgewinne als ihre Verwandten sichern. Dieses Ding mit »alle bekommen den gleichen Teil« sei doch für die Katz. Die Berater sprachen direkt das Ego dieser Familienmitglieder an, die sich eh schon für schlauer als der Rest hielten. Als ihnen jetzt auch noch vermittelt wurde, dass sie wohl wirklich zu was Besserem berufen waren als der Rest des Clans, war ihre Reaktion auf das Angebot abzusehen.

Die Berater überzeugten die Gruppe der Auserwählten, einige ihrer Aktien der Familienunternehmen an andere Familienmitglieder zu verkaufen. Im Gegenzug sollten sie dafür deren Aktien erhalten. Welche Aktien verkauft und welche gekauft werden sollten, das würden die Berater mittels eines hoch komplexen Analyseprozesses festlegen.

Wie dieser Prozess jedoch im Detail funktionierte, verstanden die Schmidts nicht. Es spielte aber auch keine Rolle für die schlauen Auserwählten. Zu verlockend war die Aussicht auf mehr Vermögen. Da würden die dummen Verwandten schon schauen! Und natürlich war man bereit, den Beratern für ihre außergewöhnliche Arbeit eine hohe Provision zu zahlen. Schließlich würden sie bald um einiges mehr in den Taschen haben als der Rest der Familie. Und da war es doch ganz normal, dass man denen etwas abgab, die für diese Geldvermehrung verantwortlich waren.

Durch die Strategie der Berater veränderten sich die Eigentumsverhältnisse in der Großfamilie Schmidt. Doch die den Beratern vertrauenden Mitglieder merkten plötzlich, dass ihre Anteile im Wert wider Erwarten viel langsamer wuchsen als die der dummen Verwandten. Wie konnte das passieren? Das von den Beratern anvisierte Ziel war doch ein gänzlich anderes gewesen.

Der Grund war schnell gefunden. Ein Teil des jährlichen produktiven Wertzuwachses floss nun in die Taschen der Berater mit den komplexen und wohlklingenden Analyseprozessen. Vorher bekamen die sich für besser haltenden Familienmitglieder 100 Prozent entsprechend ihren Anteilen. Jetzt fehlte der Teil, den sie den Beratern durch Provisionen zahlten. Und es kam noch schlimmer.

Durch das von den Beratern empfohlene Kaufen und Verkaufen von Aktien entstanden neben den Beratungskosten weitere Ausgaben und Verluste, die vorher inexistent waren. Transaktionskosten für Käufe und Verkäufe, Steuern auf Veräußerungsgewinne sowie Verwaltungskosten, um die neue Komplexität zu managen.

Als sich zudem herausstellte, dass das gar so grandiose Analyseverfahren nicht wirklich sinnvolle Antworten geliefert hatte, war der Supergau für die sich doch sicher wähnenden Familienmitglieder vorprogrammiert. Die ausgewählten und zugekauften Unternehmen waren in der Regel die mit sinkenden Gewinnen. Die verkauften hingegen steigerten ihre Profite in vielen Fällen überproportional. Und so schlau, die missliche Lage am Ende zu erkennen, waren sie dann doch.

So langsam dämmerte es den Auserwählten, dass die fleißigen und agilen Berater in Wirklichkeit den Wert ihrer Anteile gemindert hatten. Zusätzliche Gewinne zeigten sich an keiner Stelle. Zudem trauerten sie der Einfachheit des alten Systems hinterher, das ohne großen Aufwand und verständlich funktioniert hatte. Jetzt bestimmten Ärger und Auseinandersetzungen mit den Beratern ihren Alltag. Laufend wurden sie mit neuen Ausreden ruhiggestellt. Faktenbasierte Erklärungen seitens der Berater gab es keine, auf ihr Honorar wegen der ausbleibenden Erfolge wollten die Damen und Herren aber auch nicht verzichten.

Die logische Konsequenz: Die Berater wurden entlassen und neue eingestellt. Diese sollten das Vermögen nach den Verlusten und Enttäuschungen überproportional steigern. Doch auch die Neuen im Bunde konnten ihr Versprechen nicht halten. Es gab langatmige Präsentationen, versetzt mit massenhaft exzentrischem, oberflächlichem Blabla. Wie zu erwarten, fehlte auch hier der Mehrwert, sodass die Auserwählten die ineffektiven Maßnahmen beendeten.

Mit Blick auf diejenigen Mitglieder, die beim alten Konzept geblieben waren, mussten die Schlauen zudem ertragen, dass hier weiterhin die gleichen und steigenden Gewinne sprudelten. Da war keine Hektik, kein Gram, kein Ärger mit Externen. Hier herrschte Zufriedenheit. Zudem zeigte sich, dass Gewinne auch gesteigert werden konnten, weil die von den Schlauen verkauften Unternehmen überproportional wuchsen. Der Frust stieg an. In Folge wurden sogar Personalberater angeheuert, die nun wirklich die besten Berater im Bereich Finanzen ausfindig machen sollten. Es wurden also Berater eingestellt, um Berater zu finden. Das verschlang nochmals ordentliche Summen an Geld.

Das Ergebnis war aber erneut nicht hilfreich und endlich sah man der Wahrheit ins Gesicht. Die gebeutelten Familienmitglieder setzten sich zum ersten Mal an einen Tisch und diskutierten. Was war passiert? Wo war man falsch abgebogen? Was hatte sie in diese Lage gebracht?

Schnell war klar, dass die hohen Beratungsgebühren und die Falschentscheidungen den jährlichen Wertzuwachs schmälerten. Sie mussten sich eingestehen, dass sie sich von den Beratern nach allen Regeln der Kunst hatten blenden lassen. Doch wie sollten sie sich nun aus dem selbst gewählten Schlamassel wieder herausholen? Schließlich hatten sie ein neues, hochgradig komplexes Konstrukt aufgebaut, das mit dem alten System nichts mehr gemein hatte.

Ein Onkel – einer von denen, die nach alter Schmidt-Tradition agierten – fühlte sich am Ende berufen, die anderen Familienmitglieder wieder auf den Boden der Tatsachen zurückzuholen.»Feuert einfach alle Berater und macht es wie die vielen Jahrzehnte davor. Eure Berater maßen sich an, den Wertzuwachs eurer Anteile beeinflussen zu können. Die Quelle dieser Zuwächse sind jedoch unserer Unternehmen mit ihren Mitarbeitern, die jeden Tag Produkte und Dienstleistungen produzieren. Das ist das Geheimnis. Als Aktionäre dieser Unternehmen müssen wir geduldig und diszipliniert sein. Es braucht keinen Aktionismus, wir müssen nur abwarten können, um am Ende jeden Jahres den Wertzuwachs einzusammeln. Sicher gibt es auch mal weniger produktive Jahre, aber solange die Unternehmen produzieren, solange sie Werte schaffen, werden wir Freude an unseren Anlagen oder besser Anteilen haben.«

Endlich verstanden die Schmidts: Berater sind keine Orakel, sie können die Zukunft nicht voraussagen. Das aktive Auswählen von Aktien ist immer ein Versuch. Das hat nichts mit Können zu tun. Es ist ein Ausprobieren und ein Geduldsspiel. Also verabschiedeten sie sich von ihren Beratern und ihrem toxischen Humbug und bald kehrte wieder Zufriedenheit ein. Stattdessen engagierte man einen Treuhänder, der die Familie davon abhielt, falsche Anlagenentscheidungen zu treffen. Und zwar künftige, also neue Anlagen, die zu den bestehenden hinzugekauft wurden.

Du siehst, das mit den Anlagen ist im Grunde recht einfach und falsche Berater können enorme Summen an Geld kosten. Falsche Berater sind hoch bezahlte Besserwisser ohne jegliches Verantwortungsgefühl für ihr Tun. Nehmen wir zusammenfassend mit: **Investieren, nicht spekulieren!**

Das ist eine der wichtigsten Erkenntnisse in Sachen Geldanlage. Den Unterschied zwischen Investieren und Spekulieren zu kennen. Beim Investieren geht es darum, langfristiges Eigentum an Unternehmen zu erwerben. Unternehmen konzentrieren sich auf die allmähliche Bildung von Substanzwert, der aus der Fähigkeit und dem Willen abgeleitet wird, Güter und Dienstleistungen zu produzieren, die von der Gesellschaft benötigt werden. Unternehmen schaffen wachsenden Wert für unsere Gesellschaft und mehren dadurch ihren Wert und somit das Vermögen des Investors.

Spekulieren ist das Gegenteil. Dabei geht es ausschließlich um einen kurzfristigen Handel mit Aktien dieser Unternehmen, die für diesen Zweck missbraucht werden. Das Hoffen oder eben Spekulieren darauf, dass diese Aktien in kürzester Zeit mit einem Aufschlag an den Nächsten weiterverkauft werden können, steht hier im Vordergrund. Motor dieses Spiels ist Gier. Entscheidungen, die auf dieser Basis getroffen werden, enden selten glücklich.

Es gibt kein Patentrezept dafür, die künftige Entwicklung von Aktien, Anleihen und ganzen Märkten vorherzusagen. Daher ist die einzig sinnvolle Vorgehensweise, dein Geld möglichst breit am Markt zu streuen – also eben Aktien verschiedener Unternehmen zu kaufen. Auf diesem Weg können eventuelle Verluste durch Gewinne ausgeglichen werden. Erfolgreiche Anleger sind sich bewusst, dass sie vorab nicht wissen können, welches Pferd als Erstes über die Ziellinie rennen wird. Daher setzt ein cleverer Anleger auf mehrere Pferde – das nennt man Diversifikation. Im Fall der Schmidts gehörte ihnen die Deutschland AG. Diese setzte sich aus allen Unternehmen Deutschlands zusammen. Von denen erlebten einige ein weniger gutes Jahr, andere waren extrem erfolgreich. Und daher konnten jedes Jahr Gewinne ausgeschüttet werden. Als jedoch die Schmidts plötzlich nicht mehr in die Deutschland AG investierten, sondern ihr Portfolio aus Einzelaktien von Unternehmen der Deutschland AG bestand und die eben – trotz der prognostizierten überdurchschnittlichen Gewinne der Berater – alle kein gutes Jahr erlebten, war es mit dem konstanten Wertzuwachs vorbei.

Kapitel 5

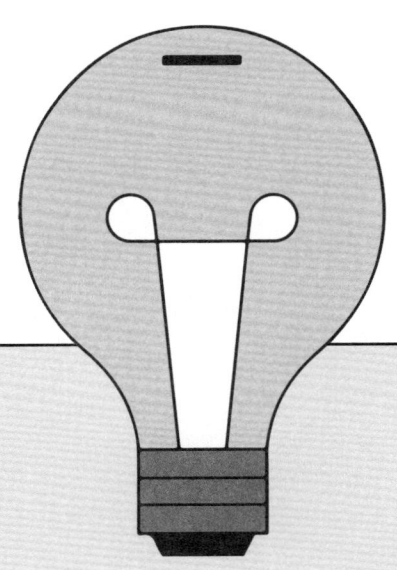

Richtig sparen und anlegen

oder was du am besten mit
deinem Geld anfangen kannst

*D*ie gute Frage nach dem Warum. Schon kleine Kinder lieben diese fünf Buchstaben und fordern Antworten regelrecht ein. Sie sind unerbittlich in ihrem immer wiederholenden »Warum«. Sie geben erst Ruhe, wenn sie es verstanden haben. Denn kleine Kinder wollen den Grund, die Ursache, die Idee hinter den Dingen verstehen. Sie geben sich nicht mit einem »Das ist jetzt so« oder »Darum« zufrieden. Sie fragen immer und immer wieder »Warum?«.

Im Erwachsenenalter haben wir uns das leider grundsätzlich abgewöhnt. Dabei ist es eine der existenziellsten Fragen überhaupt. Welche Motivation steht hinter deinem Tun? Was treibt dich an, so und nicht anders zu agieren? In seinem Buch *Finde dein Warum: Der praktische Wegweiser zu deiner wahren Bestimmung*[16] gibt Simon Sinek dem Leser einen Leitfaden an die Hand, sein ganz persönliches Warum in dieser Welt zu finden. Und genauso verhält es sich bei allen anderen Entscheidungen im Leben, private wie berufliche und eben auch finanzielle. »Warum tust du, was du tust?« Darum geht es in diesem Kapitel.

Also: Warum willst du Geld sparen und anlegen? Es gibt übrigens, bevor du dich nun unter Druck gesetzt fühlst, keine richtige oder falsche Antwort.

Je nach Lebenslage und -situation wird dein »Warum« ein anderes sein. Bist du jung, hast du vielleicht den Wunsch, dir irgendwann dein Traumauto zu kaufen. Später sparst du vielleicht auf ein Haus, das dir und deiner Familie ein Heim werden soll. Andere wollen pauschal einfach für die Zukunft oder den Ruhestand vorsorgen, ohne zu wissen, wofür das Geld später konkret gebraucht werden soll. Anderen geht es gar nicht so sehr um die eigene Person, sondern sie haben den

Wunsch, den Enkeln eine Art Vermögensstock mit auf den Weg zu geben. Es geht nur um dich und deine Familie, wenn du diese Frage beantwortest. Und deine Gründe werden sich im Laufe deines Lebenswegs ändern. Alles hat seine Zeit und seinen Zweck. Geldanlagen sind nichts anderes als Mittel zum Zweck. Es geht darum, ein Ziel zu erreichen. Nicht mehr, nicht weniger.

Ich gebe zu, es ist nicht immer einfach, herauszufinden, warum du Geld anlegen willst. Zumal du wahrscheinlich auch noch nie danach gefragt wurdest. Und manchmal mag man sich seine geheimen Wünsche auch einfach nicht eingestehen. Wie klingt denn das, dass du dir einen Sportwagen wünschst, wenn du dreifacher Familienvater bist. Oder du einfach ein Jahr lang aussetzen willst, obwohl du gerade erst mit dem Studium fertig geworden bist und eigentlich in den Augen deiner Eltern endlich mit dem Geldverdienen anfangen solltest.

Daher: Es ist wichtig, dass du den Grund kennst. Allen anderen kannst du gerne anderes erzählen – es muss einfach zu deinen persönlichen moralischen Vorstellungen passen. Und ja, ich meine es, wie ich es schreibe. Denn es ist nicht an mir, ein Urteil über dich und deine Wünsche zu fällen. Mir geht es einfach darum, dir einen Weg zu zeigen, wie du sie dir leisten kannst.

Bill Bachrach, Autor des Buches *Values-Based Financial Planning. The Art of Creating and inspiring financial strategy*[17], hat eine recht einfache und effektive Methode entwickelt, die eigenen Warums in Bezug auf die Finanzplanung herauszufinden. Es ist eine Art Selbstgespräch, bei dem eine Treppe im Mittelpunkt steht. Keine Angst, du musst dich nicht mit Sachen unterhalten, du nutzt das Bild nur, um Klarheit zu schaffen. Ein plakatives Bild deines Selbst zu erstellen.

Die zentrale Frage ist: Was bedeutet Geld für mich?

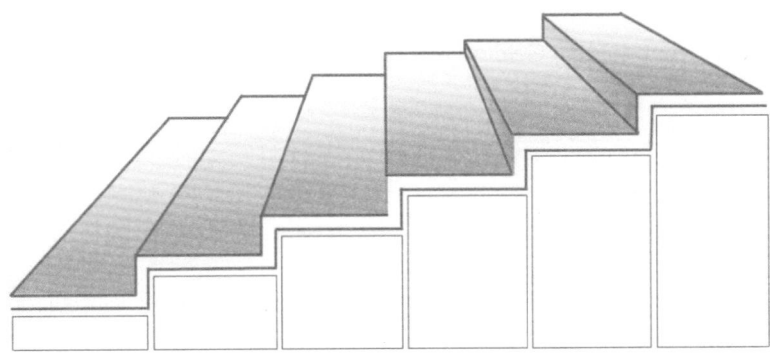

Was kann Geld in meinem Leben bewirken?

Eine Antwort kann sein: Sicherheit. Schreibe genau das in die erste Stufe. Und so geht es weiter. Was bedeutet Geld für mich? Weitere Antworten können sein: Unabhängigkeit, Wünsche erfüllen, Selbstverwirklichung, glücklich sein – mehr Zeit mit Familie und Freunden. Und so gehst du Stufe um Stufe voran. Und du wirst merken, dass die Begriffe immer mehr, immer näher dein inneres Selbst reflektieren. Dein Ich, wie es gerade ist.

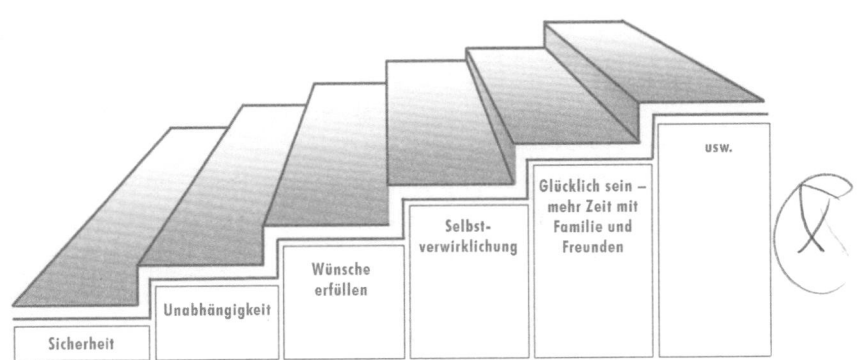

Was kann Geld in meinem Leben bewirken?

Die Treppe ist nicht auf sechs Stufen begrenzt. Das Ende ist erst erreicht, wenn du deine Gefühle nicht mehr in Worte fassen kannst. Wenn du dich leer, weil angekommen, fühlst, und wenn du dich verzettelst, ist auch neu anfangen erlaubt.

Die folgende Übersicht kann dir helfen, die Gründe in Worte zu fassen, warum du dein Geld vermehren lassen willst.

Die junge Familie	Mitten im Berufsleben	Generation 55+: zwischen Arbeit und Privatleben
• das Familienauto	• Hobbys/Reisen	• Reisen in ferne Länder
• die Ausbildung der Kinder	• die Auslandsimmobilie	• die Absicherung der Enkelkinder
• das Eigenkapital fürs eigene Haus	• die weitere Unterstützung der Kinder	• die Pflege der Eltern
• die Altersvorsorge	• die Finanzierung der Selbstständigkeit	• die Extra-Rente
	• die Vorsorge für Gesundheit und Pflegemaßnahmen	
	• der vorzeitige Ruhestand oder die Sicherung der Altersvorsorge	

Und noch einmal: Es gibt kein Richtig oder Falsch, kein Gut oder Böse, kein Schwarz und kein Weiß. Wenn du dir am Ende deine Treppe anschaust, ist sie in Ordnung, so wie sie ist.

Jeder von uns hat seine individuelle Treppe. Jeder von uns ist eine eigene Persönlichkeit, ein Individuum mit unterschiedlichen Vorstellungen. Für jeden von uns bedeutet Geld etwas anderes. Geprägt durch unser Leben, haben sich in jedem von uns moralische Grundsätze verfestigt. Diese gilt es ebenfalls auszugraben. Am besten nimmst du dir dazu noch ein zweites Blatt Papier. Es ist wichtig, dass die negativen Einstellungen zum Geld genau wie die Angst vor der Börse und Aktien in deinem Leben bald der Vergangenheit angehören.

Setze dich hin und überlege, was deine Eltern dir in Sachen Geld mit auf den Weg gegeben haben, sowohl als explizite Ratschläge als auch durch ihren eigenen Umgang mit Geld. Was ist da bei dir hängen geblieben? Hieß es: Geld fällt nicht vom Himmel, für Geld muss man hart arbeiten. Oder: Geld macht nicht glücklich. Geld verdirbt den Charakter. Wer den Pfenning nicht ehrt, ist des Talers nicht wert. Geld regiert die Welt. Wie war es bei dir zu Hause? Hast du eine Kindheit erlebt, in der immer genug Geld vorhanden war oder bist du eher in einfachen Verhältnissen aufgewachsen? Waren deine Eltern geizig, sparsam, großzügig oder haben sie eventuell das Geld mit beiden Händen zum Fenster rausgeworfen? Lass dir Zeit und schreibe alles auf, was du mit Geld verbindest. Und vergiss dabei den Klassiker nicht: Über Geld spricht man nicht! Oder hast du den – es würde mich sehr wundern – wirklich nie gehört?

Um ein guter Anleger zu werden, brauchst du eine positive Grundeinstellung zum Geld. Daher ist es wichtig, dass du dir deine negativen Gefühle und Assoziationen dazu bewusst machst und sie aktiv aus dem deinem Leben streichst. Das geht sicher nicht von jetzt auf gleich, daher arbeite parallel zum Aufbau deines Wissens mit Blick auf die freien Märkte und Anlageformen auch an deiner Einstellung zum Geld. Geld ist per se neutral. Mein Großvater sagte gerne: »Geld wirkt wie ein Vergrößerungsglas. Geld macht Idioten zu noch größeren Idioten und liebenswürdige Menschen zu noch liebenswürdigeren.«

Und nun noch ein Blick auf deine Treppe. Im Beispiel siehst du Dinge wie Sicherheit, Unabhängigkeit, Wünsche erfüllen … Es geht um deine Bedürfnisse. Um dich als Mensch. Die Mehrheit der Akteure in der Finanzindustrie denkt aber genau von der anderen Seite. Hier wird zuerst das Produkt entwickelt und dann überlegt, ob es überhaupt Kundenbedarf dafür gibt. Und wenn es keinen Bedarf gibt, wird es schon mal gerne mit Gewalt in den Markt gedrückt.

Das ist das große Missverständnis, über das ich am Anfang des Buches geschrieben habe. Es muss immer einer »wollen« und ein anderer muss »lassen«. Warte nicht darauf, dass sich die Industrie ändert. Sie wird sich nur ändern, wenn du, ja, wenn wir alle uns ändern. In freien Märkten bestimmt die Nachfrage das Angebot. Die Frage »Was bedeutet Geld für dich?« ist der Schlüssel dazu. Wenn dir klar ist, warum du Geld anlegen willst, wenn du erkannt hast, warum es sich vermehren soll, wirst du automatisch darauf achten, was man dir erzählt.

Die Finanzindustrie aber denkt gerne kurzfristig, und veranstaltet häufig »Wettrennen« mit deinem Geld. Dir werden Charts, Kurven und Kennzahlen gezeigt. Man erklärt dir, warum Produkt A um vieles besser arbeitet als es andere Produkte tun. Besser zu sein als der Markt, als der Durchschnitt soll dich überzeugen. Man packt dich bei deinem Ego und reizt die Gier, die in uns allen steckt und sich gerne triggern lässt. Und dann, wenige Monate später, kommt Produkt B auf den Markt. Und das passt noch um einiges besser zu dir und bringt natürlich noch besseren Profit mit sich als Produkt A. Und so dreht sich die Mühle immer und immer weiter. Diese Kreativität und Fantasie wären schon fast bewundernswert, wenn die angepriesenen Produkte auch immer liefern würden, was versprochen wird.

Erinnere dich daran, woher Renditen kommen. Sie stammen von uns Menschen, von Konsumenten und Produzenten. Niemand muss mit deinem Geld ein Wettrennen veranstalten, um von der Kraft freier Märkte zu profitieren. Diese Wettrennen kosten viel Geld, dein Geld, und die Finanzindustrie ignoriert das heutige Wissen über Kapitalmärkte und wie sich bestmöglich davon profitiert lässt. Steige nicht in ein Flugzeug, dessen Pilot sich nicht an die Regeln hält. Der wegen maßloser Selbstüberschätzung alle Checklisten außer Acht lässt und glaubt, die Gesetze der Aerodynamik hätten keine Auswirkung auf ihn selbst.

Kapitel 6

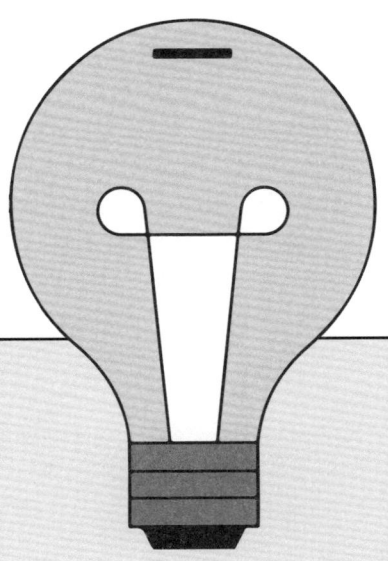

Eine neue Sicht auf die Welt

oder warum freie Märkte dein neues
Zuhause werden sollten

Was wir schon angesprochen haben, möchte ich an dieser Stelle noch einmal wiederholen: Die Schulen bereiten uns nicht wirklich aufs Leben vor. Ein zentrales Fach wird nicht gelehrt. Und zwar der sinnvolle Umgang mit den eigenen Finanzen und wie du diese effektiv anlegst. Und auch unsere Familien sind hier in der Regel wenig hilfreich, da ihnen die richtigen Informationen ebenso fehlen. Nur die wenigsten haben das Glück, wie Robert T. Kiyosaki mit zwei verschiedenen Vätern groß geworden zu sein. In seinem Buch *Rich Dad, Poor Dad – was die Reichen ihren Kindern über Geld beibringen*[18] beschreibt er, welche Leitsätze sein armer Vater ihm mit auf den Weg gab und welche sein reicher Vater ihm vorlebte. Das hat ihn nicht nur zu einem reichen Mann und Investor gemacht, sondern seine »Rich Dad-Bewegung« hat mittlerweile Tausenden Menschen weltweit Fachkenntnisse zu den Themen Handel und Investieren vermittelt. Eine seiner Lieblingsaussagen:

»Der Hauptgrund, warum Menschen in finanzielle Schwierigkeiten geraten, ist, weil sie zwar jahrelang in der Schule waren, aber nichts über Geld gelernt haben. Das Resultat ist, dass sie gelernt haben, für Geld zu arbeiten, statt Geld für sich arbeiten zu lassen.«

Ich selbst gehe in diesem Buch ein wenig weiter. Ich bin überzeugt, dass Geld, das wir in Unternehmen investieren, deshalb immer mehr wird, weil wir in doppelter Funktion unterwegs sind. Einerseits arbeiten wir für das Geld – und zwar als Produzent. Auf der anderen Seite nutzen wir gleichzeitig die geschaffenen Waren oder bereitgestellten Dienstleistungen und sind somit aktiver Teil der freien Märkte. Wir konsumieren und sorgen parallel dafür, dass der Wert unserer Anteile an den Unternehmen steigt, von denen wir Dinge kaufen oder abrufen.

Mit diesem Buch möchte ich den in der Schule erlebten und leider weiterhin aktiv gelebten Mangel ausmerzen. Dabei möchte ich auf etwas hinweisen, das mir als Vater von zwei Teenagern schon seit Jahren aufstößt. Neben dem Fakt, dass unsere Kinder in diesem Zusammenhang nichts lernen, werden sie an nicht wenigen Schulen noch durch jährlich stattfindende »Börsenspiele« zu einem grundlegend falschen Verständnis verleitet. Bei diesen Börsenspielen muss jeder Schüler versuchen, durch die Auswahl der lukrativsten Aktien zu gewinnen. Kinder werden zu kleinen Gordon Gekkos erzogen und lernen, dass es an der Börse um Spekulation geht. Spekulieren darauf, welche Aktien sich am besten entwickeln. Hier werden die Grundlagen dafür gelegt, später als Erwachsener schlechte Anlageerfahrungen zu machen.

Initiiert werden diese Spiele durch Banken und Sparkassen. Börsenspiele haben aber wie Alkohol oder Drogen an Schulen nichts verloren, weil sie ein vollkommen falsches Verständnis von Finanzmärkten vermitteln und die Kinder zum Spekulieren mit Geld anregen. Sie sind nicht im Interesse der Schüler. Stattdessen wäre es besser, sinnvoller und effizienter, den Kindern wirtschaftliche Zusammenhänge aufzuzeigen und zu erklären, wie die freien Märkte funktionieren und woher unser Wohlstand kommt. Und schließlich auch, wie jeder davon profitieren kann. Die Märkte sind für Menschen da, um von Fortschritt und Wohlstand zu profitieren.

Mir liegt viel daran, das in der Schule Versäumte aufzuarbeiten und dir das Wissen um freie Märkte und deine Chancen nahezubringen, dort dein Geld für dich arbeiten zu lassen. Wenn wir Dinge neu lernen, verändert sich die Perspektive. Oftmals nicht nur auf die Sache an sich, sondern allgemein in unserem Alltag. Plötzlich sehen wir Dinge anders. Manchmal wird es positiver, einfach weil wir plötzlich die Hintergründe verstehen. Das Wissen in diesem Buch wird deine Sicht auf Kapitalmärkte verändern. Es wird Dinge wie die Börse und Aktien in ein neues Licht rücken. Es wird dir zeigen, dass sie kein Teufelszeug und nicht nur etwas für Reiche sind.

Gehen wir dazu ein paar Jahre zurück. Denn alles begann mit der industriellen Revolution. Sie hat ihren Ursprung in der zweiten Hälfte des 18. Jahrhunderts in England. Sie markiert den Übergang von der Agrar- zur Industriegesellschaft und erfand das Leben der Menschen quasi neu. Durch Erfindungen wie die Dampfmaschine oder die Eisenbahn wurden Arbeitsprozesse in einer Art und Weise modifiziert, welche die Produktivität durch die Decke gehen ließ. Durch die Kombination aus Arbeitskraft, Rohstoffen, Wissen und Kapital entwickelte sich die Gesellschaft zu einer produzierenden industriellen Gemeinschaft. Die Lebensumstände der meisten Menschen verbesserten sich – zumindest aus heutiger Perspektive und auf lange Sicht betrachtet. Mehr Arbeitskraft war notwendig, um die technischen Innovationen voranzutreiben und die neuen Maschinen zu bedienen. Statt Felder zu bestellen, gingen die Menschen nun in die Fabrik und mit einer Lohntüte wieder nach Hause. Wohlstand durch technischen Fortschritt.

Diese Darstellung war, das möchte ich an dieser Stelle gerne zugeben, sehr vereinfacht und verkürzt, denn bis sich der Segen der industriellen Revolution zeigte, vergingen noch einige Jahre. Sicher brachte der technische Fortschritt nicht nur Vorteile. Nach und nach fanden immer mehr Menschen Arbeit, doch die Bedingungen, unter denen sie schaffen mussten, waren in vielen Fällen katastrophal. »Ausbeutung« war ein oft benutztes Wort in dieser Zeit. Es bildeten sich Bewegungen, die dafür einstanden, dass der Kapitalismus ein gegen die Menschen gerichtetes System sei. Und dass der Sozialismus die bessere Lösung sei. Die Ausbeutung der Arbeiterklasse müsse ein Ende haben und soziale Gleichheit wie Gerechtigkeit müssen zur Tagesordnung werden, so wetterten die Gegner des Kapitalismus.

Die Vordenker dieser Zeit waren Adam Smith (1723–1790) und Karl Marx (1818–1883).

Smith erklärte, wie und warum Menschen jeden Tag zur Arbeit gehen und damit Wohlstand generieren. Marx kritisierte zu Recht die damals verheerenden Zustände, unter denen die Menschen arbeiten und leben mussten. Er forderte die Fabrikeigentümer auf, mehr Verantwortung für das Wohl der Arbeitnehmer zu übernehmen und sie am Produktionserfolg zu beteiligen.

Wenn heute darüber gesprochen wird, die Bürger im Rahmen ihres Wohlstandsaufbaus, der Altersvorsorge am Produktivkapital zu beteiligen, führt das zu massiver Gegenwehr vonseiten der Funktionäre der

Parteien und Gewerkschaften. Ein echter Widerspruch, denn es waren und sind bis heute ja gerade diese Personen, die sich auf die Fahnen schrieben und schreiben, die Interessen der »Arbeiter« zu vertreten. Sie dämonisieren die Kapitalmärkte und bezeichnen Aktien als Teufelszeug, mit dem sich der einfache Bürger nicht beschäftigen solle. Durch dieses Vorgehen bringen sie mithilfe ideologischer Verblendung »Arbeiter« um ihren Anteil an der Erfolgsgeschichte und preisen die Vorteile von garantierten, verzinsten Leistungen. Dass diese Garantien Unmengen an Geld kosten und sich damit die Menschen seit Jahrzehnten die Butter vom Brot nehmen lassen, wird in Kauf genommen. Garantien sind nicht die Lösung für eine faire Verteilung des Wohlstands. Sie sind die Ursache für die unausgewogene Verteilung.

Die Fakten belegen jedoch, dass die freiheitliche Gesellschaft und die dadurch entstandene Produktivität der Welt Wohlstand und Fortschritt gebracht haben. Der Kapitalismus hat mehr Menschen aus der Armut geholt als jedes andere gesellschaftliche System. Die sozialistischen Gesellschaftsmodelle haben den Menschen nachweislich mehr Unzufriedenheit als Glück gebracht. Denn was sind eigentlich freie Märkte? Für mich sind sie nichts anderes als freie Menschen. Menschen, die frei entscheiden können. Der Markt ist die Summe aller Menschen, die in ihm daheim sind und auf freiwilliger Basis Handel mit Waren, Produkten und Dienstleistungen betreiben.

Das folgende Satellitenfoto zeigt Korea bei Nacht. Ein Land, das seit 1948 in Nord- und Südkorea unterteilt ist. Nordkorea ist ein kommunistisches Land. Und auch wenn es sich ganz offiziell mit dem Titel »Demokratische Volksrepublik« schmückt, herrschen hier diktatorische Zustände. Ein Land, in dem wir freie Märkte somit nicht finden werden. Ein starres System ohne freie Menschen. In Südkorea hingegen lebt man eine Art Demokratie und führt das Land mehr im westlichen Stil. Dies hat dem Land Freiheit und Produktivität geschenkt.

Auf dem Satellitenbild ist deutlich erkennbar, dass in Südkorea mehr Lichter brennen als im Norden. Die Lichter stehen stellvertretend für den Fortschritt und den Wohlstand. Das bedeutet nicht, dass sämtliche Bedingungen in Südkorea optimal sind. Auch hier gibt es wie in jedem Land Optimierungsmöglichkeiten. Dennoch leben die Menschen in Südkorea sicher ein besseres, weil freieres Leben.

Nordkorea bei Nacht

Quelle: © Shutterstock/Alberto Garcia Guillen

Die Welt, das Umfeld, in dem wir heute zu Hause sind, ist grandios. Es hat sich seit der industriellen Revolution stetig verbessert. Diese Tatsache nehmen aber die meisten von uns gar nicht wahr, vieles ist Selbstverständlichkeit. Niemand fragt, wie es zu diesem Zustand kommen konnte. Keiner will wissen, warum wir heute ein so angenehmes Leben führen können. Es ist, wie es ist. Wie es im positiven Sinne so weit kommen konnte, ist der Mehrheit ein Rätsel. Die Corona-Krise hat uns unerwartet auf den Boden der Tatsachen zurückgeholt. Sie zeigt deutlich, dass wir unseren Wohlstand nicht als selbstverständlich betrachten sollten und dass unsere Freiheit ein Privileg ist.

Unsere Wahrnehmung wird – das zu unserer Verteidigung – jedoch auch maßgeblich beeinflusst. Ich würde sogar so weit gehen und sagen, sie wird manipuliert. Der mediale Lärm, Fake News, Fake Fame, Social Media, mediale Panikmache sorgen für ein falsches Weltbild. Schlechte Nachrichten verkaufen sich leider besser als gute. Und das ist belegt. Ein internationales Forschungsteam hat in 17 Ländern nachgefragt.[19] Fazit: Schlechte Nachrichten rufen bei Menschen tendenziell stärkere Reaktionen hervor – und das grenz- und damit kulturübergreifend. Und auch wenn es Kritik an der Studie gibt, ob diese repräsentativ ist, einen wahren Kern hat sie sicher. Fangen wir doch einfach bei uns selbst an.

Ich jedenfalls schenke im ersten Augenblick negativen Nachrichten eine größere Aufmerksamkeit als positiv. So lese ich als Familienvater Berichte, in denen von Kindern die Rede ist, die zu Schaden gekommen sind. Und auch Artikel über schwere Unfälle nehme ich emotionaler wahr als Erfolgsmeldungen. Das hat nichts mit Voyeurismus zu tun und ich habe auch keine dunkle Seite. Ich will einfach wissen, welche Risiken es auf der Welt gibt. Wo muss ich meine Familie und mich schützen? Wo passieren Dinge, die ich nicht in Ordnung finde?

Schlechte Nachrichten oder Informationen zu Unfällen und Gefahren wecken unser »Steinzeitgehirn«. Es leistete uns gute Dienste, als wir noch in Höhlen lebten und Säbelzahntiger uns nach dem Leben trachteten. Um zu überleben achteten wir damals mehr auf die Risiken. Die schönen Dinge waren weniger präsent, auch wenn es sie sicher damals schon zahlreich gab.

All dieser Lärm tut uns Menschen aber nicht gut. In dem Buch *Die Kunst des digitalen Lebens: Wie Sie auf News verzichten und die Informationsflut meistern*[20] beschreibt Rolf Dobelli, was dieses Dauerfeuer an News mit uns macht. Es macht uns vor allem unkonzentriert und wir verlieren durch das ständige Lesen oder Hören dieser Schlagzeilen unglaublich viel Lebenszeit. Im Jahr 2019 habe ich für eine gewisse Zeit einmal Dobellis Rat befolgt und habe keine Nachrichten mehr gelesen und auch nicht gehört. Ganze zwei Monate habe ich das gemacht und es hatte etwas von einem »Wiedererwachen«. Schnell habe ich gemerkt, wie ruhiger und fokussierte ich wurde und wie ich plötzlich viel mehr Zeit hatte. Die wichtigen Ereignisse habe ich in Gesprächen und Treffen erfahren und der Rest, hat sich gezeigt, war komplett bedeutungslos. Die meisten News sind wie Seifenblasen, sie werden erst einmal groß aufgeblasen, haben jedoch eine sehr kurze Überlebensdauer. Rolf Dobelli sagt auch, dass die meisten Nachrichten gar keine sind, er spricht hier von Anekdoten.

Doch wir saugen all den medial aufbereiteten Kram auf und lassen uns ablenken von den wesentlichen Dingen. Und wir lassen uns manipulieren. Durch den Lärm und die Ablenkung vergessen wir, in welcher schönen Zeit und Welt wir eigentlich leben.

Wir sind privilegiert, in diesen Zeiten leben zu dürfen. In seinem Buch *Factfulness: Wir wir lernen, die Welt so zu sehen, wie sie wirklich ist*[21] schreibt Hans Rosling über den herrlichen Zustand, in dem wir zu Hause sind. Er spricht über die wunderbare Welt, die wir leider nur noch selten so bewusst betrachten. Doch Tatsachen und Fakten belegen seine Gedanken. Die Welt ist besser als vor vielen Jahren. Aber die meisten Menschen sind vom Gegenteil überzeugt. »Früher war alles besser« ist ein bekannter Spruch – doch mal im Ernst, über welches Früher spricht man, wenn man gerade einmal 40 Jahre alt ist? Früher als Kind? Ja, da waren sicher einige Dinge besser. Weil noch nicht so viel Verantwortung auf uns lastete und wir die Dinge stets spielerisch angingen und nicht im Vorfeld tausend Szenarien im Kopf durchgingen. Was könnte passieren? Was müsste ich dann tun? Wir Menschen neigen dazu, Dinge erst einmal mit uns selbst auszumachen, und vergessen dabei, realistisch zu bleiben.

Für sein Buch hat Rosling, übrigens Schwede, Professor und 2017 leider verstorben, weltweit Menschen befragt, was sie eigentlich wirklich über den aktuellen, den tatsächlichen Zustand der Welt wissen. Überall, in jedem Land war die Mehrheit davon überzeugt, dass die Dinge sich eher verschlechtern: Hunger, Gewalt, Terror und Krankheiten standen im Fokus. Niemand oder nur wenige sahen auch die guten Dinge – die großartigen Entwicklungen der letzten Jahre. Nehmen wir einmal die Digitalisierung. Sie wird oft als Bedrohung dargestellt. Sie macht Menschen gläsern, Bürger unmündig und endet in der totalen Überwachung. Dabei hat der digitale Wahnsinn, und ich meine das im positiven Sinne, unser Leben so viel fortschrittlicher und einfacher gemacht. Wir können plötzlich ohne große Kosten mit der ganzen Welt kommunizieren. Wir können live mit Menschen sprechen, die Tausende Kilometer entfernt sind, und zahlen dafür quasi nichts. Die vernetzte Welt macht Wachstum möglich. Und es war für viele die Rettung während des Corona-Shutdowns. Die Möglichkeit, Kunden- und Mitarbeitergespräche via Videokonferenzen zu führen, hat die Wirtschaft nicht vollkommen zum Stillstand gebracht. Auch die Schulen haben diese technischen Neuerungen genutzt, um wenigstens einen Teil des Stoffes lehren zu können.

Auch der Blick auf unsere Lebenserwartung zeigt, die Welt heute ist wesentlich freundlicher als die vor vielen Jahrzehnten. Wir leben länger und besser. Wir müssen – zumindest sofern wir in der westlichen Welt leben – in der Regel keinen Hunger leiden und in vielen Ländern ist Krieg nur noch eine Erinnerung. Ich will damit nichts verleugnen oder übergehen, aber gerade wir in der entwickelten Welt leben hervorragend. Und das ein Leben lang – wenn wir mal vom Finanziellen absehen.

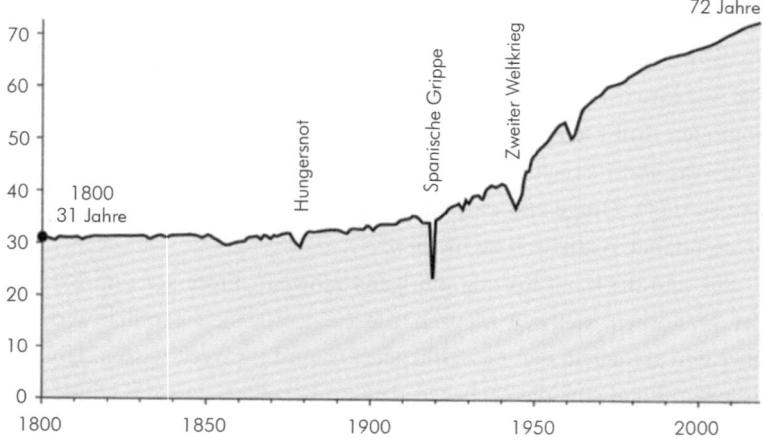

Durchschnittliche Lebenserwartung (in Jahren) von 1800 bis heute

Quelle: eigene Darstellung unter Verwendung der Daten von Gapminder (https://www.gapminder.org/data/documentation/gd004/)

Auch die Armut ist langsam auf dem Rückzug. Gerade jetzt, während ich dieses Buch schreibe, hat der Paritätische Wohlfahrtsverband eine Studie herausgegeben.[22] Der Verband untersucht dabei die Armutsentwicklung in 95 Regionen und kommt zu dem Schluss, dass die Armut zwischen 2008 und 2018 gesunken ist.

Leider zeigt sich auch hier, dass zwar weniger Menschen arm sind, die Zahl der von Armut betroffenen Rentner jedoch stark gestiegen ist. Der Anteil der unter Armut leidenden Rentner ist in den vergangenen Jahren um 33 Prozent angewachsen. Das zeigt noch einmal, wie wichtig es ist, dass du das mit deinen Finanzen und deinen Wohlstandsanlagen unbedingt selbst und am besten noch heute in die Hand nehmen solltest. Grundsätzlich aber ist in den vergangenen 200 Jahren der Anteil derer, die an Armut leiden, signifikant gesunken, wie Rosling in seinem Buch aufzeigt. Das ist doch schon einmal gut – jetzt gilt es, die Anzahl von Rentnern, die viel zu wenig für ihren Ruhestand vorgesorgt haben, wieder zu minimieren.

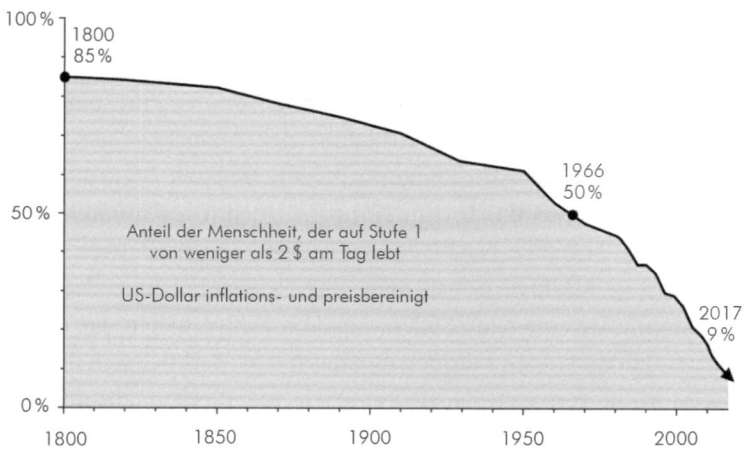

Anteil der Menschen, die unter extremer Armut leben, von 1800 bis heute

Quelle: eigene Darstellung unter Verwendung der Daten von Gapminder (https://www.gapminder.org/data/documentation/epovrate/)

Und auch sonst geht es uns besser, als wenn wir vor einigen Jahrzehnten auf die Welt gekommen wären. Hungersnöte, Epidemien, Naturkatastrophen, nukleare Unglücke, Flugzeugabstürze und Kinderarbeit – die Anzahl an Fällen nimmt konstant ab. Und diese Tatsache ändert sich auch nicht nach der Corona-Pandemie. Zusätzlich haben wir andere Probleme, wie beispielsweise den Abbau der Ozonschicht eindämmen, immer noch nicht aufhalten können. Gleiches gilt für die Reduktion von Feinstoffpartikeln in unserer Luft. Dennoch sind wir hier, auch wenn immer schwarzgemalt wird, auf einem ersten Weg zur Besserung.

Wir können also zu Recht behaupten, dass es uns heute besser geht als allen Generationen vor uns. Innovationen, Revolutionen, Evolutionen haben diese Entwicklung möglich gemacht. Die freie Marktwirtschaft ist das beste aller nur erdenklichen, realistisch möglichen Wirtschaftssysteme. Es ist nicht vollkommen, nicht perfekt. Es gibt immer noch zu viele bestehende wirtschaftliche und ökologische Missstände und Defizite auf der Welt. Doch die industrielle Revolution hat die wirtschaftliche Entwicklung der Menschheit – und nicht nur des Teils, der in Industrieländern lebt – während der vergangenen 200 Jahre in einer nie zuvor da gewesenen Art und Weise verbessert. Machen wir uns das bewusst. Viele Dinge können eine andere Bedeutung gewinnen. Jeder von uns kann seine Perspektive aufs Leben verändern. Wir können die Dinge positiver betrachten. Fragen wir uns, welchen Vorteil uns das bringt. Hören wir damit auf, immer direkt nach den potenziellen Nachteilen zu suchen. Daher: Betrachten wir auch die freie Marktwirtschaft unter ihren vielen positiven Aspekten. So bekommt sie eine neue Bedeutung. Das Fehlverhalten der Finanzindustrie hat den freien Märkten und der freien Marktwirtschaft einen negativen Ruf verpasst. Schlagwörter wie Raubtierkapitalismus, Spekulanten und Zocker werden ins Spiel gebracht. Es geht darum, die ursprüngliche Aufgabe und Funktionsweise der freien Marktwirtschaft wieder an die Oberfläche zu holen. Damit noch mehr Menschen ihre Kraft nutzen können. Märkte sind von Menschen für Menschen gemacht. Warum sollten also auch nicht alle davon profitieren?

Die Idee des freien Marktes ist der des Austausches von Gütern zwischen Produzenten und Konsumenten. Es trifft die Nachfrage auf das Angebot. Es ist ein Platz des Austausches. Der klassische Wochenmarkt, bei dem lokale Produzenten auf regionale Konsumenten treffen.

Damit Unternehmen funktionieren, müssen diese produktiv werden. Sie müssen Produkte, Waren und Dienstleistungen anbieten. Und dafür braucht es vier Faktoren, die ich an früherer Stelle im Buch schon ins Spiel gebracht habe. Nur wenn diese vier Faktoren vorhanden sind, entsteht als Ergebnis »Produktion«. Und wenn du einmal genau hinschaust, wirst du dich selbst dort wiederfinden. Deine Arbeitskraft, dein Wissen sorgen dafür, dass Material verarbeitet werden kann. Und natürlich braucht es Kapital, um auf der einen Seite dieses Material zur Verfügung zu stellen, und auf der anderen, damit deine Arbeitskraft, dein Einsatz entlohnt werden kann. Fehlt auch nur einer dieser Faktoren, funktioniert es nicht mehr.

Arbeitskraft   Rohstoffe   Wissen   Kapital

Die Wohlstandsformel

Jedes Unternehmens braucht eine gute Idee. Eine Idee, wie man den Menschen da draußen das Leben schöner, bequemer, einfacher, besser macht. Egal wie abwegig sie auch zu Beginn klingen mag: Eine Idee, an die Menschen glauben, kann zu etwas unfassbar Großem werden. Und ganze Regionen verändern. Kennst du beispielsweise das deutsche Städtchen Herzogenaurach?

Diese fränkische Stadt hieß zunächst »Urahe«, was übersetzt so viel wie »Viehtränke am Fluss« bedeutet. Und das sagt im Grunde schon alles. In ihren Ursprüngen war Herzogenaurach sicher kein regionales Zentrum.

Heute leben über 23 000 Menschen direkt in der Stadt und noch viele weitere in den angrenzenden Gemeinden und Städten. Und das nur, weil im Jahr 1924 zwei Brüder eine Idee hatten. Und zwar die Fertigung von Sportschuhen. Zunächst produzierten Adolf und Rudolf in der Waschküche die ersten maßgeschneiderten Schuhe. Recht schnell hatten die Profisportler Wind von den beiden bekommen und ließen ihre Schuhe bei den Dassler-Brüdern fertigen. Als die ersten Spitzensportler das innovative Schuhwerk bei den Olympischen Spielen trugen, wuchs die Nachfrage überproportional an. Es sah gut aus für Adolf und Rudolf – doch dann kam der Zweite Weltkrieg.

Die Produktion wurde eingestellt, aber bereits 1964 wieder aufgenommen. Leider jedoch waren sich die beiden Brüder zu diesem Zeitpunkt nicht mehr grün. Ihre Wege trennten sich und Adolf gründetet das Unternehmen Adidas und Rudolf das Unternehmen Puma. Und damit wurde Herzogenaurach zum Mittelpunkt der deutschen Sportartikel-Herstellung. Rund 70 000 Menschen arbeiten für Puma und Adidas und Milliarden von Menschen konsumieren die Produkte. Und das, weil zwei Brüder unabhängig von einem

Unternehmen ihr Ding gemacht haben. Hierzu hat die ARD an Ostern 2017 einen großartigen Zweiteiler mit dem Titel »Die Dasslers« ausgestrahlt. Diese Dokumentation zeigt wunderbar auf, wie Fortschritt und Wohlstand entstehen, ohne die Hindernisse und Schwierigkeiten zu verschweigen, welche die Brüder Dassler überwinden mussten.

Neben Adidas und Puma sitzt inzwischen noch die Schaeffler-Gruppe in Herzogenaurach. Schätzungen gehen davon aus, dass mehr als eine Million Menschen direkt oder indirekt von der Produktion dieser drei Firmen ihren Lebensunterhalt bestreiten. Du siehst, was der freie Markt für ein unheimlich starkes Potenzial hat und wie vielen Menschen er Lohn und Brot bringt.

Gerade jetzt, wo die Digitalisierung erneut unserer Wirtschaftswelt und unser Leben komplett umkrempelt, gibt es Tausende, Hunderttausende neue Chancen für erfolgreiche Unternehmensgründungen, die in Folge gewinnbringend wirtschaften. Die industrielle Revolution und die damit einhergehende freie Marktwirtschaft haben unsere Geschichte so grundlegend geprägt wie keine andere Ereignisfolge. Und ein Ende ist nicht in Sicht. Es geht weiter, solange wir uns als Menschheit weiterentwickeln wollen und weiterentwickeln können. Die freien Märkte und deren Teilnehmer werden immer neue Lösungen erfinden, die einen Bedarf stillen. Und so wird sich die Art und Weise, wie wir leben, weiterhin verändern. Aktuell ist wahrscheinlich die größte Veränderung in der Automobilindustrie zu beobachten. Der Übergang von Verbrennungsmotoren zu elektrischen Antrieben mischt schon seit einigen Jahren die Branche auf. Aber auch das Gesundheitsweisen wird durch die zunehmende Digitalisierung schon fast eine Art Revolution erleben – der digitale Arzt oder das smarte Krankenhaus sind nur zwei Beispiele für das, was auf uns zukommen wird und teilweise schon funktioniert.

Jetzt stellt sich die Frage, ob du deinen Anteil von dieser Erfolgsgeschichte bekommst. Und an dieser Stelle ist nochmals hervorzuheben, dass wir Deutsche uns aufgrund unserer pseudofaktischen Vorstellung von Kapitalmärkten seit Jahrzehnten die Butter vom Brot nehmen lassen. Der Profit aus deiner Arbeit und deinem Konsum fließt in den meisten Fällen ins Ausland. So befinden sich aktuell die Aktien der

30 größten deutschen Unternehmen in 55 Prozent der Fälle in ausländischer Hand. So war es laut der Prüfungs- und Beratungsgesellschaft EY möglich, dass innerhalb der DAX-Konzerne im Jahr 2019 36,5 Milliarden Euro ausgeschüttet wurden, doch nur etwa ein Drittel davon (12,5 Milliarden Euro) wurden an deutsche Anteilseigner überwiesen. Der Rest floss in die Taschen ausländischer Aktionäre.[23] Bei Adidas, Linde, Infineon, Bayer und der Deutschen Börse sind es sogar 70 Prozent der Dividenden, die ins Ausland abwandern.

Und damit sind wir beim Problem unserer Nation. Wir produzieren, wir konsumieren und sind damit verantwortlich für die Wertsteigerung von deutschen Unternehmen. Den größten Teil des erwirtschafteten Profits aber stecken andere ein. Da sind die Menschen in unseren europäischen oder transatlantischen Nachbarländern schlichtweg schlauer. Sie haben erkannt, wie profitabel die deutsche Wirtschaft arbeitet. Sie selbst brauchen nur still abzuwarten, bis am Ende des Jahres die Dividenden auf ihrem Konto eintreffen. Und dabei haben sie in manchem Fall weder für das Unternehmen produziert noch haben sie seine Waren oder Dienstleistungen konsumiert. Sie haben keinen Anteil an der Wertsteigerung des Unternehmens und sind am Ende doch diejenigen, die davon profitieren.

Nicht zu Unrecht fragte die Schweizer Zeitung NZZ einmal: »Wie deutsch ist der deutsche Aktienindex«? Und damit legt die Redaktion ihren Finger tief in die Wunde unseres Landes. Denn der Anteil der ausländischen Aktionäre der 20 größten DAX-Konzerne steigt seit Jahren an und ein Ende ist nicht in Sicht.

Der sogenannte MSCI Germany Index ist ein Korb der aktuell 63 größten deutschen Unternehmen, er zeigt von 1970 bis 2018 eine durchschnittliche Rendite von 7,5 Prozent.[24] Um bei unserem Kaffee To-Go-Beispiel zu bleiben: Hättest du von 1970 bis 2018, also 48 Jahre, jeden Monat 50 Euro in einem ETF Fondssparplan angespart, der in die 63 größten deutschen Unternehmen investiert, wären aus deinen 28 800 Euro durch die Kraft freier Märkte 283 000 Euro geworden.

Dieses Beispiel zeigt dir einmal mehr, was dir bisher wahrscheinlich nicht bewusst war. Märkte sind von Menschen für Menschen. Auch mit »kleinem« Geld kannst du von dieser Kraft profitieren. Und je früher du anfängst, desto stärker kannst du von dieser Kraft profitieren.

Machen wir zum weiteren Verständnis noch einen Feldversuch. Schaue einmal in deine Schränke und schreibe auf, welche drei Marken hier besonders oft vertreten sind. Dies können Kleidungsstücke sein, aber auch Lebensmittel und Medizin sowie Beautyprodukte. Ich bin sicher, dass viele von uns in ihrem Medikamentenschrank eine Menge Produkte des Bayer-Konzerns stehen haben. Wie unter anderem das gute altbewährte Aspirin. Eltern werden Bepanthen daheim haben und Rennie räumt bekanntlich schon seit Jahrzehnten den Magen auf – in allen Lebenslagen. Laut eigenen Aussagen liegt der Anteil deutscher Aktionäre innerhalb der Bayer AG bei gerade einmal noch 19,9 Prozent.[25] Das ist nur ein Fünftel aller verfügbaren Unternehmensanteile. Zum Vergleich: Die Quote für Investoren aus den USA und Kanada liegt bei über 30 Prozent. Und auch Großbritannien und Irland sahnen mit insgesamt 15,6 Prozent richtig ab.

Ich finde, da ist in den letzten Jahren etwas gewaltig schiefgelaufen. Denn wer hat denn unter anderem die Produkte produziert und die Dienstleistungen konsumiert? In der Regel sind es auch die Menschen, die in unserem Land leben. Also wir. Auf freiwilliger Basis sind wir Produzent und im nächsten Schritt Konsument – wir sind es, die den Produktionsprozess durch Nachfrage am Laufen halten. Wir sind es, die diese Konzerne jedes Jahr ein wenig wertvoller machen. Wir sind es, die bestimmen, ob sich ein Produkt am Markt durchsetzen kann oder ob selbst internationale Konzerne mit ihren Ideen scheitern.

Auch in Deutschland gibt es bekannte Namen, die mit ihrem Produkt den Markt nicht überzeugten. Der Automobilgigant VW wollte zum Beispiel mit der Einführung des »Phaeton« seine Modellreihe um einen Oberklassewagen ergänzen. Doch die 2001 eingeführte Limousine war eine der größten Verlustgeschichten des Konzerns. 2016 wurde die Produktion eingestellt, nachdem VW mit jedem Auto rund 28 000 Euro Verlust gemacht hatte.

Oder nehmen wir den Transrapid. Was sollte der unser Leben einfacher und schneller machen. Bis heute kommt die von Siemens und ThyssenKrupp entwickelte Magnetschwebebahn nur einmal im Ausland zum Einsatz. An den deutschen Standorten kam man über die Testphase nie hinaus.

Du siehst, auch große Namen scheitern. Sie scheitern immer dann, wenn wir als Menschen das innovative Produkt, die neuartige Dienstleistung nicht für nützlich erachten. Machtvoll bestimmen wir als mündige Bürger, was sich am Markt durchsetzt. Und so wird sich der elektrische Antrieb am Ende auch nur durchsetzen können, wenn er uns mehr Vor- als Nachteile bringt. Wenn Probleme wie zu lange Ladezeiten oder zu kurze Reichweiten aus der Welt geräumt werden. Deutschland ist ein verdammt erfolgreiches Land. Nach den USA, China und Japan reihen wir uns auf Platz vier der größten Volkswirtschaften der Welt ein.[26] Besonders im Bereich Industrie gehören wir zur internationalen Spitzenklasse. Fahrzeuge, Elektro und Maschinenbau sind unsere Spezialitäten.[27] Wir sind stark im Export und verfügen über einen grandiosen Mittelstand. Kleine und mittelständische Unternehmen sind unsere Spezialität. Wir sind jemand auf dem Markt – und doch verzichten wir als Einzelpersonen darauf, uns unseren Anteil am immer weiter wachsenden Wohlstand der deutschen freien Marktwirtschaft zu sichern, um auch davon zu profitieren. Niemand hält uns aktiv davon ab. Aber unser falsches Verständnis für Kapitalmärkte verhindert diese Erkenntnis.

In Deutschland bilden die freien Märkte das Fundament unserer sozialen Marktwirtschaft. Je nach Land wird die freie Marktwirtschaft unterschiedlich interpretiert und ausgestaltet. Die freie Marktwirtschaft ist somit ein theoretisches Modell, das je nach Land an einigen Punkten neu oder anders gelebt wird, ohne dass das wichtigste Element »frei« verdrängt wird. In Deutschland sprechen wir daher von der sozialen Marktwirtschaft. Laut Bundeswirtschaftsministerium besteht »die zentrale Idee der Sozialen Marktwirtschaft darin, die Freiheit der Wirtschaft und einen funktionierenden Wettbewerb zu schützen und gleichzeitig Wohlstand und soziale Sicherheit in unserem Land zu fördern.«[28] Letzteres ist genau das, wofür ich einstehe. Soziale Sicherheit bedeutet für mich nichts anderes, als über das gesamte Leben finanziell auf gesunden Beinen zu stehen.

Soziale Marktwirtschaft steht in unserem Land für freie Arbeitsplatzwahl und eine freie Preisgestaltung. Jedes Unternehmen, jeder Dienstleister kann seine Angebote selbstständig bepreisen. So sollen Monopolbildung und Preisabsprachen zwischen Konzernen verhindert werden. Eine genaue Definition der Sozialen Marktwirtschaft wurde jedoch nicht gesetzlich festgehalten. Dies soll die Flexibilität wahren, die sie in einer sich immer schneller verändernden Welt benötigt. Mit Blick auf aktuelle Themen wie Digitalisierung, Klimawandel und Globalisierung in meinen Augen auf jeden Fall sinnvoll. Und unsere Geschichte hat gezeigt, dass das Konstrukt der Sozialen Marktwirtschaft auch in Phasen großer Umbrüche seine Konstanz beweisen konnte – Stichwort: Wiedervereinigung.

Dass bei uns in Deutschland aus der freien die soziale Marktwirtschaft wurde, hat mit dem Eingriff durch den Staat zu tun. Es wird niemals eine astreine freie Marktwirtschaft auf der Welt funktionieren, da sie viele Angriffspunkte bietet. Daher wurden in Deutschland unter anderem die folgenden Punkte optimiert:

Auf freien Märkten ist der Staat zwar für die innere und äußere Sicherheit verantwortlich, mischt sich sonst aber nicht in den wirtschaftlichen Alltag ein. In Deutschland findet im Gegensatz dazu durch verschiedene gesetzliche Regelungen wie beispielsweise Kündigungs- und Mutterschutz ein Eingriff statt, der jedoch den Bürgern zugutekommt. Auch das Privateigentum ist bei uns geschützt. Und die sogenannte Gewerbefreiheit, bei der jeder bauen, basteln, fertigen und unter das Volk bringen kann, was er will, ist in Deutschland ebenfalls eingeschränkt aktiv. Sobald Gefahren von Produkten oder Dienstleistungen ausgehen, greift der Staat ein.

Für mich persönlich ist daher die bei uns interpretierte Form der freien Marktwirtschaft ein solider und hervorragender Boden dafür, jedem Menschen ein sozial abgesichertes und finanziell erfülltes Leben zu garantieren. Politische Regularien jedoch erschweren diese Bemühungen. Ein starker Staat muss regulieren, er darf aber nicht bevormunden. Und er muss kommunikationskonform handeln. Er kann nicht A beten und B nutzen. So müssen – einfach nur als Beispiel genannt – Abgeordnete in Deutschland nicht in die gesetzliche Rentenversicherung einzahlen. Sie erhalten ihre Altersabsicherung auf anderen Wegen, unter anderen Gesichtspunkten. Schon nach einem Jahr im Bundestag haben Abgeordnete Anspruch auf 233 Euro Pension pro Monat. Nach zehn Jahren im Parlament kassieren Ex-Politiker weit über 2 000 Euro im Monat. Zwar müssen Abgeordnete ihre Pension versteuern, trotzdem können Normalbürger von so einer Altersversorgung nur träumen. Zum Vergleich: Männer hatten Ende 2014 eine Durchschnittsrente von 1 013 Euro. Frauen mussten mit 762 Euro auskommen.[29]

Geht es aber um deinen Wohlstandsaufbau, deine Altersversorgung, hält man dich »klein«. Man hält dich aufgrund von Nichtwissen, aber auch ideologischen Gründen davon ab, im Alter ein finanziell sorgenfreies Leben zu leben. Die geplante Transaktionssteuer auf Wertpapiertransaktionen trifft wie zu erwarten vor allem »Kleinanleger« und macht den Wohlstandsaufbau und die Altersvorsorge noch schwerer. Und da sind wir wieder bei meiner Arzt-Geschichte, die ich in der Einleitung dieses Buch mit dir teilte.

Ich bin für einen starken Staat, der seiner Rolle als »Schiedsrichter« nachkommt. Wir sollten aber darauf achten, dass seine Eingriffe einen nachweisbaren Nutzen für alle haben. Politiker sind Diener des Volkes und damit steht auch der Staat in der Bringschuld gegenüber seinen Bürgern. Schauen wir uns daher nun an, was es braucht, damit auch du dir deinen Anteil am gemeinsam produzierten Wohlstand unseres Landes sichern kannst. Und daran kann dich niemand hindern.

Kapitel 7

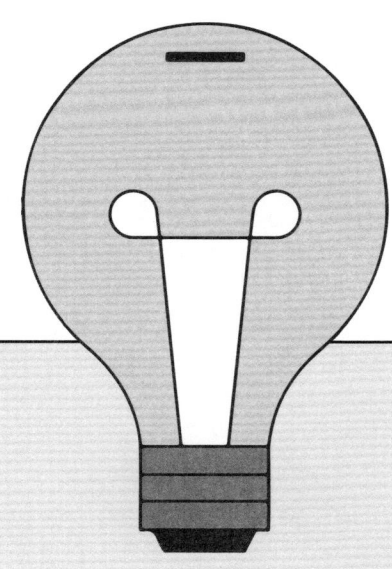

Es braucht Kapital

oder wie du Teil der Welt AG wirst

*E*s braucht also vier Zutaten, um Produkte und Dienstleistungen entstehen zu lassen: Arbeitskraft, Rohstoffe, Wissen und Kapital. Oft ist es Letzteres, an dem viele Start-ups, aber auch bestehende Unternehmen scheitern. Daher möchte ich an dieser Stelle darauf noch näher eingehen und einmal aufzeigen, welche Rolle das Geld auf den freien Märkten einnimmt und wie es zum Einsatz kommen kann. Grundsätzlich gilt: Kapital darf in dem Zusammenspiel mit den anderen Komponenten als das Benzin im Tank angesehen werden, der das Auto (Material) durch den Einsatz eines Fahrers (Arbeitskraft), der seine Fahrkenntnisse (Wissen und Erfahrung) zur Verfügung stellt, am Laufen hält.

Gehen wir mal davon aus, dass du unter die Unternehmer gehen und deine eigene Firma aufbauen willst. Arbeitskraft ist vorhanden, das Wissen auch – doch ohne finanzielle Ressourcen kannst du weder die Mitarbeiter für ihr Wissen und ihren Einsatz bezahlen und noch weniger kannst du das notwendige Material an den Start bringen, du bist also darauf angewiesen, dir zunächst einmal Geld zu besorgen. Startkapital lässt sich in den meisten Fällen nur durch die Aufnahme von Krediten beschaffen. Diese können dir Freunde, Bekannte, Verwandte oder eben Banken gewähren – vorausgesetzt, der angefragte potenzielle Geldgeber glaubt an deine neue Unternehmung.

Im zweiten Schritt wirst du das dir zur Verfügung gestellte Geld investieren, um Waren oder Dienstleistungen zu produzieren. Läuft es gut, kannst du deinen Freunden, Familienmitgliedern, Bekannten oder den Banken das geliehene Kapital zurückzahlen. Bis zur vollständigen Tilgung des offenen Betrags aber werden Zinsen fällig. Auch diese müssen durch den Umsatz bezahlt werden können, den du mit deinem Unternehmen erwirtschaftest.

Im Fokus deiner Bemühung stehen daher die Produktion und der Verkauf. Geschaffenes muss an den Kunden gebracht werden, damit Geld in deine Kassen fließt. Das zunächst geliehene Kapital muss den Motor in Gang setzen, damit dein Unternehmen gedeihen kann. Aus dem Einsatz wird Umsatz und Schritt für Schritt wirst du immer mehr einsetzen, aber auch immer mehr umsetzen. Und damit es rundläuft, stellst du als Produzent etwas her, für das der Konsument bereit ist, im Tausch sein Geld herzugeben.

Du bist also im ersten Schritt auf Fremdkapital angewiesen gewesen. Dieses hast du dir mittels Banken oder eben über private Beziehungen besorgt. Das Unternehmen läuft gut und du kannst Zinsen und Kredit tilgen. Im fortgeschrittenen Entwicklungsstadium ist es nun an dir, deinen Freunden, Bekannten und Verwandten oder auch vollkommen fremden Menschen die Chance zu ermöglichen, sich an deinem Unternehmen zu beteiligen. Dafür bringst du es an die Börse und verkaufst Anteile in Form von Aktien. Natürlich auch in deinem eigenen Interesse, denn das neu eingesammelte Geld investierst du in den Ausbau deines Unternehmens. Steigerung der Produktion und Expansion sind zu diesem Zeitpunkt deine Ziele.

Deine Aktionäre kaufen natürlich keine Anteile, um dir einen Gefallen zu tun. Selbst wenn es sich dabei um deine Freunde oder Verwandten handelt. Sie erhoffen sich natürlich, dass du mit der Hilfe des neu gewonnenen Kapitals eben noch mehr produzierst und noch mehr verkaufst. Dies führt nämlich dazu, dass dein Unternehmen immer wertvoller wird und damit auch der Wert pro Aktie zulegt.

Der Vorteil, Gelder durch Aktien einzusammeln, liegt darin, dass es sich dann nicht mehr um Fremdkapital handelt. Für dieses würden auf deiner Seite Zinsen anfallen und über kurz oder lang musst du es eben auch wieder zurückbezahlen. Geld aus dem Verkauf von Aktien ist Eigenkapital. Schließlich hast du dafür auch Anteile deines Unternehmens verkauft.

Diese Form der Unternehmensfinanzierung wird bereits seit mehr als 1500 Jahren genutzt. Und wie die folgende Grafik zeigt, hat sich das Ganze ziemlich positiv gestaltet auf dem Weg von einst bis jetzt. Sicher gab es auch mal Abschwünge oder auch Crashs, doch die Aufschwünge sind offensichtlich in der Überzahl. Der Trend zeigt klar nach oben.

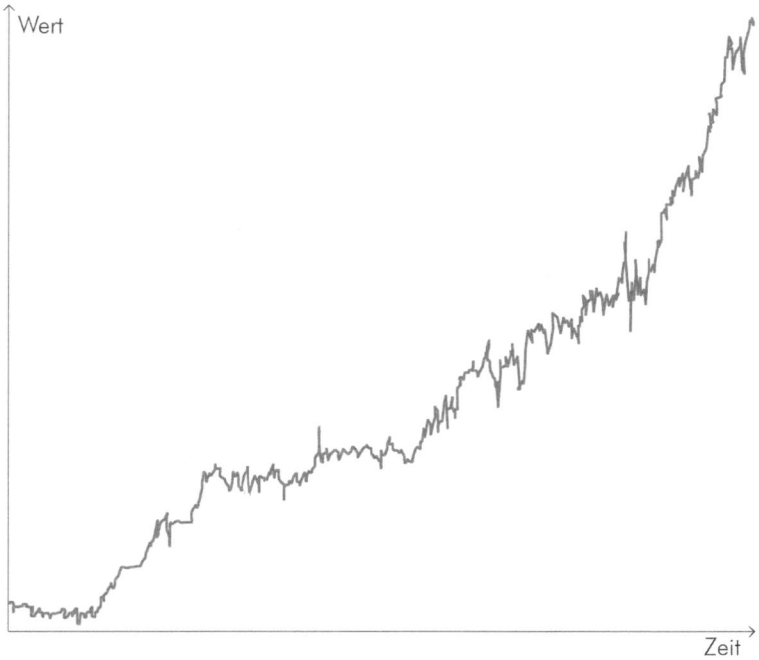

Entwicklung der Aktienkurse weltweit seit dem Jahr 1500

Quelle: Eigene Darstellung

Du selbst musst aber gar kein Unternehmen gründen, um von diesem Wertschöpfungsprozess zu profitieren, du kannst es halten wie deine Freunde oder deine Familienmitglieder im oben genannten Beispiel. Egal ob mit 50 Euro, 1 000 Euro oder 100 000 Euro oder noch mehr kannst du dich an der Welt AG, an der globalen Werkbank, beteiligen. Es wird immer suggeriert, man müsse die Aktien oder Branchen mit den besten Geschäftsmodellen und dem besten Potenzial finden – erinnern wir uns an das Börsenspiel in der Schule. Das ist alles Humbug und sichert nur die Existenzberechtigung der Menschen, die wissen, dass sie nichts wissen – aber überzeugend so tun, als wüssten sie es. Doch noch einmal: Niemand kann sagen, welche Aktien, Branchen oder Märkte sich am besten entwickeln. Die Schlussfolgerung lässt daher nur ein Ergebnis offen: Du musst alle Aktien von allen Unternehmen der Welt AG kaufen. Die Welt AG ist ein Synonym für Tausende von Unternehmen, die an der Börse notiert sind und die du ohne nennenswerte Hürden erwerben kannst. Und das unabhängig von Herkunft, Ausbildung und Einkommen. Wie das im Detail funktioniert, darauf gehen wir am Ende des Buches ein.

Du musst endlich mit dem Investieren beginnen. Du musst dein Geld dorthin bringen, wo es sich durch Produktion vermehrt. Geld vermehrt sich, wenn du es in die freien Märkte investierst. Renditen kommen durch das perfekte Zusammenspiel von Konsumenten und Produzenten. Hier ist dein Platz. Hier bist du bestens aufgehoben. Und noch mal: Jeder ist willkommen, jeder darf mitmachen. Märkte sind von Menschen für alle Menschen gemacht.

Sobald du den Schritt wagst, frage dich einfach immer, ob du investierst oder ob du dich auf Spekulationen einlässt. Ich kann das nicht oft genug sagen.

Erinnern wir uns nochmals daran: Beim Investieren geht es darum, langfristiges Eigentum an Unternehmen zu erwerben. Unternehmen konzentrieren sich auf die allmähliche Bildung von Substanzwert, der aus der Fähigkeit und dem Willen abgeleitet wird, Güter und Dienstleistungen zu produzieren. Dinge, die von der Gesellschaft benötigt werden. Unternehmen schaffen wachsenden Wert für unsere Gesellschaft und mehren dadurch ihren Wert und somit das Vermögen des Anlegers.

Spekulieren ist das Gegenteil. Dabei geht es ausschließlich um einen kurzfristigen Handel mit Aktien dieser Unternehmen, die für diesen Zweck missbraucht werden. Das Hoffen oder eben Spekulieren darauf, dass diese Aktien in kürzester Zeit mit einem Aufschlag an den nächsten weiterverkauft werden können, steht hier im Vordergrund. Entscheidungen, die auf dieser Basis getroffen werden, enden selten gewinnbringend, ergeben für dich als Anleger wenig Sinn und auch für die Unternehmen ist das nicht unbedingt nützlich. Im Grunde werden Wetten auf ihrem und deinem Rücken ausgetragen.

Dieses Spiel wird durch Gier, aber auch vom Wunsch getrieben, sich zu beweisen. Das Problem dabei ist, dass dieses Spiel meistens mit dem Geld fremder Menschen gespielt wird. Diejenigen, die sich berufen fühlen, mit dem Geld fremder Menschen zu jonglieren, haben meist selbst keine Eisen im Feuer. Das bedeutet, wenn das Jonglieren funktioniert, bekommt der Jongleur einen Erfolgsbonus und die Anleger profitieren auch davon. Wenn das Jonglieren aber scheitert, Geld verloren geht, müssen die Anleger den Schaden tragen. Der Jongleur hat meistens nur wenig oder sogar nichts zu befürchten. Gewinne werden in diesem Spiel gerne privatisiert, während die Verluste sozialisiert werden.

Motivator hinter diesem Verhalten ist Gier. Und die gilt – so wissen wir alle spätestens seit dem 1995 erschienen Film »Sieben« mit Brad Pitt und Morgen Freemann – als Todsünde. So weit möchte ich es jedoch gar nicht treiben, doch wir alle kennen aus eigener Erfahrung, wie es sich anfühlt, wenn das Verlangen nach etwas ein natürliches Maß übersteigt. In der Situation selbst ist uns das oft nicht bewusst, doch rückblickend erkennt jeder, der über ein wenig gesunden Menschenverstand verfügt, dass da irgendeine Region im eigenen Ich es maßlos übertrieben hat.

Also daher noch einmal zusammengefasst der so wichtige Unterschied zwischen Investieren und Spekulieren:

Investoren sind Anleger, die	Spekulanten sind Anleger, die
• wissen, worauf es ankommt,	• auf fadenscheinige Informationen vertrauen,
• Entscheidungen auf Basis von Wissen und Fakten treffen,	• Entscheidungen auf Basis von Glauben und Raten treffen,
• ernsthaft sind.	• Börsenhandel als Spiel betrachten.

Weil dieses Thema so immens wichtig ist, dazu ein kleines Video. In diesem erkläre ich den Unterschied noch einmal ganz plakativ.

Ich bin sicher, dass deine Zurückhaltung in Sachen freie Märkte auch stark durch die mediale Darstellung von (missglückten) Spekulationen befeuert wird. Menschen, die groß in irgendein Geschäft oder Unternehmen eingestiegen sind und alles verloren haben. Doch so leid es einem auch in vielen Fällen tut, haben sich diese Menschen zum Spekulieren verleiten lassen. Sie haben gewusst, was im schlimmsten Fall passieren kann. Die meisten der heute auf dem Markt angebotenen Finanzprodukte haben noch immer spekulativen Charakter. Der Grund: Sie lassen sich besser verkaufen, weil sie die Gier in uns ansprechen und mit der Hoffnung auf hohe Renditen spielen. Diese Produkte sind in der Regel sehr komplex und beinhalten hohe Risiken. Risiken, die von außen nicht gesehen werden. Zudem lässt sich damit für den Anbieter sehr viel Geld verdienen. Die Anleger haben aber hier sehr häufig das Nachsehen.

Für dich gilt es somit herauszufinden, welche Anlagen Investitionen sind und bei welchen mit deinem Geld spekuliert wird. Keine Sorge, das ist nicht kompliziert. Einige einfache Faustregeln genügen. Wichtig: Es braucht auch keinen täglich ausgelebten Aktionismus von deiner Seite. Wer verantwortungsbewusst investiert, der muss sich nicht jeden Tag Gedanken über seine Anlagen machen. Der Markt macht seinen Job – in unserem Sinne. Nutze du lieber die Zeit für die schönen Dinge des Lebens. Zeit mit der Familie, Treffen mit Freunden oder Sport – wir haben ja durch den Corona-Lockdown erlebt, wie schnell das aus heiterem Himmel nicht mehr möglich war. Es ist falsch, wenn behauptet wird, man müsse permanent den Markt beobachten. Wenn dir das wieder einmal jemand sagen sollte, dann stelle ihm einfach mal die Frage, was denn da genau beobachtet werden muss. Auf die Antwort kannst du sehr gespannt sein … Fakt ist, dass es ausreicht, einmal im Jahr in sein Depot zu schauen. Der Markt arbeitet für dich. Lass ihn in Ruhe seinen Job machen.

Kapitel 8

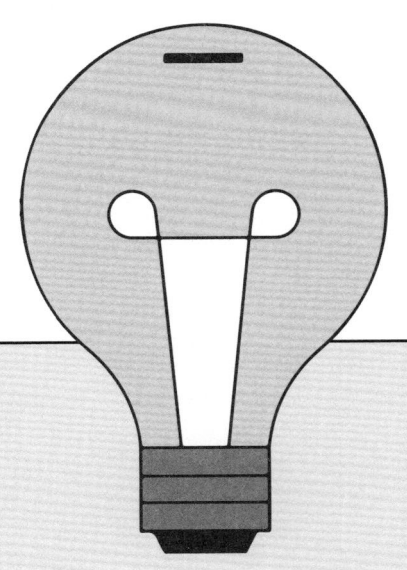

Unschöne Zukunftsperspektiven

oder was passiert,
wenn du einfach nichts tust

*I*n dem von Stiftung Warentest herausgegebenen und von Markus Neumann verfassten Buch *Banker verstehen* ist das erste Kapitel eine ausführliche Warnung mit Blick auf die Bankberatung. Da heißt es beispielsweise,»… doch Bankangestellte sind letztendlich Verkäufer, von denen Kunden kaum eine objektive Beratung erwarten können.« Oder:»Für einen Berater ist es erst einmal wichtiger, bei seinen Vorgesetzten gut dazustehen, als bei Ihnen.«[30]

Große Finanzunternehmen kreisen hauptsächlich um sich selbst. Die Mitarbeiter, die Berater dienen der Organisation und nicht dem Kunden. Aufgrund von falschem Verhalten in der Vergangenheit sind zahlreiche Finanzunternehmen in gerichtliche Auseinandersetzungen verwickelt. Die kosten viel Zeit und viel Geld. Da die Finanzindustrie nur maximal eingeschränkt lernfähig ist, wurden die rechtlichen Anforderungen in den letzten Jahren massiv erhöht. Die Finanzindustrie musste im großen Stil investieren, um diesen Anforderungen gerecht zu werden. Auch dort hat der Tag nur 24 Stunden. Und wenn der größte Teil dieser Zeit aufgewendet wird, um sich als Unternehmen überhaupt über Wasser zu halten, bleibt kaum Zeit, sich um die Kunden und das Geschäft zu kümmern. Die Finanzindustrie ist gefangen in einem Netz aus historisch entstandenen Problemen und dem Druck, sich gleichzeitig nach vorne zu bewegen. Das gestaltet sich mehr als schwierig. Es ist schwer, sich auf die Straße zu konzentrieren, wenn man ständig in den Rückspiegel schauen muss.

Ich habe miterlebt, wie sich die Dinge entwickelten. Besonders als die Akteure die so profitable Goldgrube »Anlageberatung« für sich neu entdeckten. Bis Mitte der 1990er-Jahre war sie in den Banken und

Versicherungen eine Randerscheinung. Bis sich zeigte, wie sich damit richtig Geld verdienen lässt.

Alles begann 1996 mit der T-Aktie – also der Aktie der Deutschen Telekom. Sie wurde damals auch als Volksaktie bezeichnet und unter großem medialen Wirbel am 18. November 1996 in Frankfurt an die Börse gebracht. Da sich die Aktie am Anfang sehr gut entwickelte, fanden die Deutschen Geschmack an Aktien und wollten mehr davon. Etwa zur selben Zeit zog das Internet in unsere Wohnzimmer ein und weckte die Fantasie, dass die Bäume in den Himmel wachsen können. Unternehmen mit den absurdesten Geschäftsmodellen wurden an die Börse gebracht – solange sie nur den Stempel »Internet« oder »digital« trugen.

Ob die himmelhohen Gewinnerwartungen und Wachstumsperspektiven auf einer fundierten Grundlage basierten, interessierte nicht. Oder anders: Die meisten Neu-Aktionäre und Erstmals-Fonds-Besitzer hatten sich darüber keine Gedanken gemacht. Es wurde alles gekauft, was angeboten wurde. Meine Erinnerungen an diese Zeit sind abenteuerlich. Ich begann damals meine Karriere bei einem der ersten Discount-Broker in Deutschland. Also einer Bank, die es zu sehr günstigen Konditionen ermöglichte, Wertpapiere über das Telefon und später über das Internet zu handeln. Wir haben damals jeden Tag waschkörbeweise Kauf- und Verkaufsaufträge von Kunden erhalten. Es ging zu wie während des Black Friday. Allerdings war damals jeder Tag ein Black Friday.

Doch als die Dotcom-Blase im März 2000 platzte, war das Geschrei groß. Die so viel versprechenden Unternehmen konnten die versprochenen Gewinne nicht erreichen, in Folge blieb vielen nur noch der Weg in die Insolvenz. Und das bedeutet in der Regel für den Aktionär, dass er mit nichts nach Hause geht. Vor allem Kleinanleger verloren in vielen Fälle ihr gesamtes eingesetztes Kapital. Es wurde damals viel Vertrauen in die Kapitalmärkte zerstört. Viele wussten schlichtweg nicht, was sie taten. Es gab einen Mega-Medienhype und wie beim Lotto-Jackpot wollten alle mitmachen, sich ihren Anteil am großen Kuchen sichern. Es fehlte jedoch an der Zutat Wissen.

Dass so viele Menschen damals so viel Geld verloren haben, hat aber nichts mit der Funktionsweise von freien Märkten zu tun. Investieren bedeutet, das Geld in Unternehmen zu stecken, deren Geschäftsmodelle einen nachhaltigen Aufbau von Substanzwert erwarten lassen. Und genau Substanz hat damals gefehlt. Kaum ein Geschäftsmodell der Unternehmen konnte damals die Frage beantworten, wie jemals Substanz aufgebaut werden sollte. Es wurde nur auf das Internet verwiesen und alle flippten vor Euphorie aus. Es war also nichts anderes als pure Spekulation, befeuert durch die Banken. Mit jedem Unternehmen, das sie an die Börse brachten, verdienten sie sich eine goldene Nase. Dass die Medien aus jeder Aktion einen Mega-Hype machten, spielte ihnen bestens in die Karten. Und so ganz neutral waren einige der besagten Publikationen auch nicht.

Und so ist es in vielen Fällen auch noch heute. Die Industrie überrascht die Anleger und investmentfreudigen Menschen mit immer neuen Produktinnovationen. Das wäre ja im Grunde nicht schlecht, wären die Novitäten wirklich sinnvoll und vor allem gewinnbringend für die Kunden. Es wird hier eindeutig auf deine Gutgläubigkeit gesetzt. Das fehlende Wissen der Menschen macht es leicht, dieses fragile Geschäftsmodell irgendwie am Laufen zu halten.

Die Schuld an der Misere ist aber nicht nur bei der Finanzindustrie zu suchen. Das muss auch mal gesagt werden. Schließlich ist jeder Mensch seines Glücks eigener Schmied und kann mündig entscheiden, was er mit seinem Geld macht. Der gesunde Menschenverstand allein sagt einem, dass Finanzberater sicher niemals etwas umsonst tun. Auch du und ich erwarten, dass wir etwas für unsere Arbeit bekommen. So gibt es weder kostenlose Konten noch kostenlose Beratungen – Gebühren werden einfach verdammt gut versteckt. Die meisten von uns sind nicht in der Lage, ihnen auf die Schliche zu kommen.

Und genau hier setze ich mit meiner Mission an. Ich will, dass Menschen wissen, wofür sie sich am besten mit Blick auf ihr Geld entscheiden. Wenn das passiert, wird die Finanzindustrie sich zwangsläufig wandeln müssen. Denn wenn es nicht mehr möglich ist, das Geschäftsmodell des Produkt- und Performanceverkaufs umzusetzen, werden schnell Dinge möglich werden, die bisher nicht möglich erschienen. Im Grund weiß die Industrie über die Anfälligkeit ihres Geschäftsmodells. Veränderung ist immer schwer und passiert immer erst dann, wenn die Vorteile der Veränderung größer sind, als wenn man einfach weitermacht wie bisher. Schmerz und Furcht sind die größten Kräfte für Veränderung.

Aktuell bist du als Anleger das letzte Glied in der Wertschöpfungskette der Finanzindustrie. Und derjenige, der sich fragt, wohin die so großzügig versprochene Rendite verschwunden ist, die dir in Aussicht gestellt wurde. Das Schlimme ist, dass du mit dem Geld natürlich gerechnet hast – es wurde dir ja quasi garantiert. Und dann ist die Enttäuschung später natürlich groß.

Laut der deutschen Rentenversicherung erhalten die Deutschen im Schnitt etwas mehr als 1000 Euro Rente. Schnitt bedeutet aber, dass eben nicht jeder mit diesem Betrag rechnen kann. Und gerade Frauen sind benachteiligt, wie wir schon gesehen haben. Doch selbst wenn im Monat mehrere Hundert Euro reinkommen – in einer Zeit, in der die Mieten immer weiter steigen und gerade in Großstädten wie München, Berlin und Frankfurt Wohnraum quasi unbezahlbar wird, ist das Geld schnell aufgebraucht.

Also fassen wir die aktuelle Situation doch noch einmal zusammen. Die Unwissenheit um rentable Anlagen und die Angst vor Kapitalmärkten haben dazu geführt, dass die meisten Menschen ihr Leben lang nachteilige oder eben gar keine Anlageentscheidungen treffen. Im aktiven Berufsleben hat das in der Regel noch keine bis wenige Auswirkungen. Offensichtlich werden die Versäumnisse eben erst, wenn nicht mehr der Arbeitgeber der Geldgeber ist, sondern der Staat entscheidet, was im Alter noch für dich übrig bleibt.

Wir werden immer älter – das ist wunderbar. Und wir sind im Alter fitter und gesünder. Es geht darum, dass wir nach 35 und mehr Jahren im Job eigentlich endlich mal die Dinge tun wollen, von denen wir schon lange träumen. Das können Reisen sein, das kann ein bestimmtes Auto bedeuten. Oder einfach, dass wir die Zeit mit unseren Enkeln genießen und mit ihnen durch den eigenen Garten turnen möchten. Doch dafür braucht es entsprechende finanzielle Mittel. Und damit uns im Ruhestand Geld ausreichend zur Verfügung steht, müssen wir ein Depot in der Zeit davor aufbauen. Ein Depot, aus dem wir später schöpfen können.

Die Realität zeigt, dass die demografische Bevölkerungsveränderung einen Tribut verlangt. Immer mehr Rentner müssen durch immer weniger Arbeitende finanziert werden. Die sichere Rente, wie sie einst so wohlwollend proklamiert wurde, ist schon lange ein Relikt der Vergangenheit. Das im Jahr 1957 eingeführte Umlageverfahren ist in Schieflage geraten. Im Grunde war die Idee hinter der Rente so einfach wie genial. Die Arbeitenden zahlen in die Rentenkasse ein, aus der die Nicht-mehr-Arbeitenden ihren Anteil zugesprochen bekommen. Das aber funktionierte nur so lange, wie die Zahl der Arbeitnehmer die Zahl der Rentner übertraf. Im Jahr 1962 sah das im damaligen Westdeutschland auch vielversprechend aus. Auf einen Rentner kamen sechs Beitragszahler. Dreißig Jahre später war die Zahl bereits auf 2,7 Zahlende gesunken. Und im Jahr 2017 betrug das Verhältnis Beitragszahler zu Rentner nur noch 2,1 : 1.[31]

Spannend wird nun das Jahr 2020 sein. Denn hier wird sich ein Großteil der Babyboomer-Generation zur Ruhe setzen. Ob es zum Supergau kommt, wird sich zeigen. Besser aber wird es sicher nicht werden. Und Norbert Blüm, der sich im Wahlkampf im Jahr 1986 für den Spruch »Denn eines ist sicher: die Rente« verantwortlich zeigte, ist schon seit geraumer Zeit selbst im Ruhestand. Und dieser sei auch bei ihm mit Einbußen verbunden, wie er im Alter von 83 Jahren 2020 in einem Interview mit der WAZ sagte – obwohl wir ja nun wissen, dass es ehemaligen Abgeordneten sehr gut geht.

Stellt sich nun also die Frage, wie schaffen wir es trotz der Verschiebung zu Ungunsten der Rentenbezieher irgendwie, wenigstens ein bisschen Geld aufzubringen. Zumindest bis zum heutigen Tag. Die Antwort ist wenig überraschend: Es werden gigantische Summe aus Steuereinnahmen locker gemacht und das Ungleichgewicht künstlich reguliert. Aktuell fließt jeder dritte Euro, den wir in Form von Steuern an den Staat abgeben, in die gesetzliche Altersvorsorge. Plus die Summe, die du jeden Monat an Beiträgen in die Rentenversicherung einzahlst.

	Durchschnittsverdienst (in Euro)	Standardrente (in Euro)
2000	23 341	12 356
2001	23 785	12 512
2002	24 083	12 746
2003	24 244	12 925
2004	24 341	12 891
2005	24 389	12 821
2006	24 501	12 796
2007	24 907	12 781
2008	25 425	12 840
2009	25 101	13 055
2010	25 632	13 232
2011	26 411	13 253
2012	27 249	13 465
2013	27 847	13 612
2014	28 553	13 743
2015	29 253	13 955
2016	29 880	14 367

Gegenüberstellung Durchschnittsverdienst und Standardrente in Deutschland

Quelle: Eigene Darstellung auf Basis von Daten der Deutschen Rentenversicherung

Doch die Finanzierung des Systems ist auch mit diesen Zuschüssen aus Steuermitteln nicht gesichert – seit dem Jahr 2001 ist das Rentenniveau von 53 auf 48 Prozent gesunken.[32] Und bereits 2016 trat Bundesarbeitsministerin Andrea Nahles vor die Kameras und verkündete, dass das Rentenniveau bis zum Jahr 2045 auf ein Tief von 41,6 Prozent fallen wird. Das würde bedeuten, dass jeder von uns, dessen Lohn bei

1 500 Euro und darunter liegt, in die Altersarmut abrutschen würde. Und wie die Statistik oben zeigt, sind die durchschnittlichen Renten schon jetzt ziemlich mau.

Du siehst, die Aussichten sind nicht rosig – Deutschland hat sich verkalkuliert. Die staatliche und vom Gesetz vorgeschriebene Rente wird dich nicht über Wasser halten können. Es braucht einen von dir selbst initiierten und vor allem selbst definierten privaten Wohlstandsaufbau. Und hier ist die Kraft der freien Märkte zukünftig dein bester Freund. Er wird dir helfen, für den Ruhestand ein finanzielles Polster aufzubauen.

Doch bislang geben wir unseren Anteil vom Kuchen bereitwillig ab und fordern ihn nicht ein. Auch wenn wir selbst daran mitgebacken haben. Dabei würde sich eine Vielzahl an Problemen, die das heutige Rentensystem mit sich bringt, schnell und effektiv lösen lassen. Die Politik muss sich dafür aber weiterentwickeln und Kapitalmärkte nicht länger als Teufelszeug ansehen. Es geht nicht darum, das Umlageverfahren abzuschaffen, sondern die Kraft freier Märkte in das Rentensystem zu integrieren.

Allerdings zeigt uns die aktuelle Realität schonungslos, dass es dazu wenig Bestrebungen gibt. Kurzfristig wird sich sicher nichts bewegen. Daher bist du gefragt. Denn du kannst dich bewegen, du kannst deine Sichtweise ändern und brauchst weder die Unterstützung der Politik noch eine Genehmigung, um von der Kraft freier Märkte zu profitieren. Was du mit deinem Geld treibst, ist deine Sache – es ist wichtig, dass du das endlich begreifst und die Verantwortung für deine Finanzen in die eigenen Hände nimmst.

Wir Deutsche sind jedoch staatstreu und verlassen uns gerne auf Experten. Erst vor Kurzem erschien wieder eine Studie des Marktforschungsinstituts Forsa im Auftrag des Forums New Economy.[33] Und deren Ergebnisse sind erschreckend. So finden vier von fünf Befragten die soziale Marktwirtschaft in Deutschland gar nicht gut. Sie sprechen sich dafür aus, dass der Staat wieder mehr Kontrolle übernehmen und weniger Privatisierung zulassen sollte.

Wichtig ist jedoch zu wissen, das »Forum New Economy« ist ein Netzwerk aus Ökonomen und hält nicht viel von einer Politik, welche die freien Märkte und die zurückgezogene Handlungsweise des

Staates fördert. Daher ist diese Umfrage mit Vorsicht zu genießen oder sollte wenigstens hinterfragt werden. Und doch ist es immer wieder überraschend, welchen Zuspruch rückwärtsgewandte und erwiesenermaßen der Menschheit schadende Ansätze erhalten.

Du musst für dich akzeptieren, dass der Staat dir keinen entspannten Ruhestand garantieren kann – ob er nicht kann oder nicht will, sei dahingestellt. Die Fakten aber sprechen für sich. Das gesetzliche Rentensystem wird seinem Anspruch nicht mehr gerecht und kann nur noch als Teil der finanziellen Absicherung für das Leben nach dem Job angesehen werden. Dass es schon irgendwie reichen wird, kannst du dir abschminken.

Jetzt ist es Zeit, zu handeln. Das beginnt damit, dass du dich in Sachen Finanzen aktiv weiterbildest. Keine Sorge, niemand wird dir eine Prüfung abnehmen, du kannst nur an deinen eigenen Ansprüchen scheitern. Und die brauchen gar nicht hoch sein, sie sollten deiner Situation entsprechen. Das einzig erklärte Ziel ist, dass du motiviert und selbstbestimmt deine Lebensanlagen anhäufst.

Eine Sache, die auf jeden Fall hilft, ist das Lesen der richtigen Bücher. Es gibt viel verwirrende und unverständliche Literatur, aber eben auch einige sehr gute Ratgeber. Nachdem ich wirklich nicht alle, aber einen Großteil selbst gelesen habe, habe ich eine persönliche Liste mit den für mich eindrücklichsten Büchern zusammengestellt. Diese findest du am Ende des Buches oder eben auch auf meiner Webseite – hier habe ich den Vorteil, die Liste laufend vervollständigen zu können. Ein Hoch auf die Digitalisierung.

Die Auswahl der Literatur ist nicht so einfach. Was du an den Kiosken in Form von Magazinen findest, ist nichts anderes als gut gemachte Unterhaltung. Es ist laut, es ist schrill. Je unglaubhafter es klingt, desto interessanter finden es die Menschen. Es ist wie mit dem Jackpot, je höher die Summe, je näher dem Rekord, umso mehr Menschen versuchen ihr Glück. Oder auch die ganzen Reality-Formate unserer privaten Fernsehsender, die seit Jahren das Niveau zugunsten von schriller Bespaßung senken.

Beginne also heute damit, deine Einstellung zu Kapitalmärkten und zum privaten Wohlstandsaufbau zu überdenken. Und erarbeite dir Schritt für Schritt die Hoheit über deine Wohlstandsanlagen.

Und um dieses Kapitel mit den klugen Worten eines Mannes abzuschließen, ein Zitat des Psychologen Hans-Joachim Maaz aus seinem Buch *Der Lilith-Komplex. Die dunklen Seiten der Mütterlichkeit*[34]:

»Gesellschaftliche Fehlentwicklungen wie in diesem Fall das falsche Sparen werden nicht von einigen wenigen abnormen Persönlichkeiten der politischen Macht der Mehrheit einer vermeintlich gesünderen Bevölkerung aufgezwungen, sondern sie werden von Millionen Mitläufern ausgestaltet, die im Wiederholungszwang ihrer früheren Verhältnisse ein zwar unbewusstes, aber sonst höchst aktives Bedürfnis haben, immer wieder äußere Verhältnisse herzustellen, die ihren inneren Deformierungen entsprechen.«

Übersetzt ins Verständliche sagt Maaz damit nichts anderes, als ich dir durch dieses Buch mit auf den Weg geben möchte: Lass dir nicht mehr länger die Butter vom Brot nehmen. Hole dir den Anteil vom Wohlstand, der dir zusteht. Und zwar jetzt.

Kapitel 9

Trends sind etwas für Mitläufer

oder warum es besser ist,
dem eigenen Stil treu zu bleiben

*T*rends bestimmen die Kollektionen der Modeindustrie. Trends bestimmen unsere Einrichtung und welches Auto wir fahren. Trends bestimmen jedoch maßgeblich auch die Anlagethemen der Finanzindustrie. Trends sind immer das, was sich am besten verkaufen lässt. Trends ergeben sich aber nicht immer nur aus der Gesellschaft, sie werden in vielen Fällen künstlich gemacht. Sie dienen dazu, uns zu inspirieren. Sie sagen uns, was gerade in und angesagt ist. Aktuell ist einer der Megatrends die Nachhaltigkeit. Das Problem ist hier, dass Nachhaltigkeit für verschiedene Menschen verschiedene Bedeutung hat. Aktuell wird auf alles »nachhaltig« geschrieben, nur weil es sich so leichter verkaufen lässt. Wie damals das Ding mit dem Internet. Man nennt das Vortäuschen von Nachhaltigkeit in der Fachsprache auch Greenwashing. Etwas wird einfach grün angemalt, der Inhalt bleibt aber nahezu derselbe. Dass wir als Menschen nachhaltiger leben und unsere Umwelt schützen müssen, steht außer Zweifel. Nachhaltiger zu leben fängt im Alltag bei jedem Einzelnen an. Und wenn dies auch beim Sparen und Anlegen ein Maßstab ist, dann ist das ein guter Weg, seinen Anteil zum nachhaltigeren Leben auf unserem Planeten beizutragen. Was aber ein Anlageprodukt erfüllen muss, um diesem Maßstab gerecht zu werden, dafür gibt es aktuell keine einheitliche Definition.

Wann es diesen einheitlichen Rahmen für nachhaltige Anlagelösungen gibt, ist weiter offen. Ich bin mir aber sicher, dass aufgrund der Wichtigkeit dieses Themas sich hier recht bald etwas bewegen wird.

Daher: Produkte über Produkte und aktuell im Idealfall ein nachhaltiges. Es gibt Hunderte und es ist wirklich schwer, den Überblick zu behalten. Die Finanzindustrie überbietet sich gerne mit der Auflage von neuen, innovativen Angeboten. Sobald Produktentwickler gemerkt haben, was sich leicht verkaufen lässt, gibt es ein neues Produkt oder besser gleich eine ganze Produktpalette. Doch was bringt diese Produktfülle am Ende?

Jedes einzelne Produkt muss sich rechnen. Wenn sich zu wenig Anleger für ein Produkt gewinnen lassen, werden diese auch gerne nach einer gewissen Zeit geschlossen oder mit anderen Produkten verschmolzen. Das ist für den Anleger, aber auch für den Anbieter aus den verschiedensten Gründen ärgerlich.

Ich habe häufig Depotaufstellungen von Kunden gesehen, die hatten 25 und mehr verschiedene Produkte in ihrem Portfolio. Da hat der entsprechende Berater einen »guten« Job gemacht.

Die hohe Anzahl von Produkten in den Kundendepots wird häufig gerne mit dem Stichwort Diversifikation (Risikoverteilung) erklärt. Doch wirkliche Diversifikation sieht anders aus. Bei genauerem Hinschauen stellt sich nämlich heraus, dass viele dieser Produkte sich sehr ähnlich sind. Das bedeutet für den Kunden keine Risikoverteilung, sondern das Gegenteil: Das Risiko steigt massiv an. Es bringt mir nichts, wenn ich mir die trendige Chino-Hose in den Farben Blau, Gelb, Grün, Braun, Schwarz und Violett kaufe, weil Chinos ja so etwas von angesagt sind. Wenn dann aber nach einem halben Jahr der Trend vorbei ist, habe ich gleich sechs Hosen im Schrank, die ich nicht mehr anziehen kann. Zumindest wenn ich mich nicht blamieren will. Da hilft es auch nicht, dass ich auf unterschiedliche Ausführungen oder eben Farben gesetzt habe. Eine Chino bleibt eine Chino.

Es zeigt sich leider zudem auch, dass sich die Depots der Kunden bei den verschiedenen Banken stark ähneln. Der Grund dafür: Auf den Empfehlungslisten der Finanzindustrie stehen nahezu dieselben Produkte, die verkauft werden müssen. Auch die Chinos müssen raus, bevor sie nicht mehr angesagt sind. Daher werden eben Prominente, Influencer und die Medien systematisch beeinflusst, die Dinge mittels Werbung unters Volk zu bringen. Keine Ahnung, wie viele Millionen Fidget Spinner unbenutzt in den Kinderzimmern der Welt herumliegen oder schon entsorgt worden sind. Doch im Jahr 2017 waren sie das

Must-have des Jahres – und zwar weltweit. Lieferengpässe, unglaubliche Preise, Schwarzmarkt – der kleine Handkreisel hat die Welt und die darin lebenden Menschen verrückt gemacht. Heute wäre es mehr als peinlich, sich mit einem sehen zu lassen.

Doch solange es Anleger gibt, die wie auch bei anderen Trends das Spiel mitmachen, wird sich nichts ändern. Und solange sich Anleger auch nach enttäuschten Erwartungen noch einmal bequatschen lassen, wird es bleiben, wie es ist. Unmengen an Infos, Prognosen und Geschichten werden unter dem Volk verbreitet, damit die Themen Geldanlage und persönliche Finanzen möglichst kompliziert daherkommen. Das muss aber nicht so sein. Im Gegensatz zu Trends in der Modeindustrie oder bei Spielsachen können Trends beim Sparen und Anlegen richtig teuer werden. Renditen kommen von Konsumenten und Produzenten. Das ist der Trend, dem Anleger folgen müssen.

Ein amerikanischer Hedgefondsmanager hat das nach der Finanzmarktkrise im Jahr 2008 einmal sehr gut auf den Punkt gebracht: Seinen Ausstieg aus der Branche Mitte 2009 hat er für eine Generalabrechnung mit den Bankenchefs an der Wall Street genutzt. In einem Abschiedsbrief an seine Investoren machte er sich über die »Dummköpfe« in den Finanzkonzernen lustig, die sich auf seine Geschäfte eingelassen hätten. Diese »Aristokraten« aus besserem Hause und mit vermeintlich guter Ausbildung hätten es ihm an der Spitze der Groß- und Investmentbanken sehr leicht gemacht, seine hoch spekulativen Anlagestrategien umzusetzen.

Nur allzu gern wird großartig klingenden, akademischen Rezepten und Management-Methoden hinterhergelaufen. Gerne versteckt man sich dahinter, nur um sich nicht mit den wirklichen Wünschen und Bedürfnissen der Kunden auseinandersetzen zu müssen. Das Problem ist, dass diese akademischen Rezepte und Methoden keinen Unterschied zwischen Theorie und Realität kennen. Die Realität und die Kunden kennen diesen Unterschied indes schon. Und daher kommt es in regelmäßigen Abständen zu Unfällen und Crashs.

An dieser Stelle werden Vertreter der Finanzindustrie wahrscheinlich etwas pikiert argumentieren, dass es nun mal so laufen muss und es keinen anderen Weg gibt. Und an der einen oder anderen Stelle wird sogar gesagt, die Kunden wollen das nun mal so. Fakt ist, dass es kein Gesetz gibt, das festschreibt, dass die Finanzdienstleistung so sein muss. Fakt ist auch, dass die darauf basierenden Geschäftsmodelle hoch fragil sind und dazu neigen, wirtschaftlich schnell ins Wanken zu geraten. Es steht auch nirgends geschrieben, dass es zum guten Ton gehört, permanent in gerichtliche Auseinandersetzungen verwickelt und polizeilichen Hausdurchsuchungen ausgesetzt zu sein. Diese kommen so gehäuft in anderen Dienstleistungszweigen nicht vor.

Daher ist es wichtig, dass du lernst, unabhängig zu denken. Lass dich nicht von den vermeintlichen Trends verführen. Wichtig zudem: Glaube nicht alles, was du in den Medien hörst oder liest. Nicht jeder im Finanzjournalismus aktive Schreiber nimmt die Recherche so genau – manchmal reicht es aus, wenn der entsprechende Anbieter des Produkts auch noch eine Werbeanzeige kauft. Ich habe das selbst sehr häufig erlebt. Es gibt Journalisten, die nur an einer farbigen Produktstory interessiert sind. Je hochtrabender die Story, desto mehr Journalisten finden sich, die darüber schreiben. Allerdings wird nicht danach gefragt, was hier eigentlich wirklich mit den Geldern der Anleger passiert. Doch wie bei den Finanzberatern gibt es – und darf es in meinen Augen gerne noch mehr geben – auch unter den Wirtschafts- und Finanzjournalisten großartige Charaktere, die sehr gute und vor allem kritische Artikel schreiben.

Ab sofort aber wirst du die Dinge cleverer angehen. Ab jetzt wirst du dein Geld anders für dich arbeiten lassen, du wirst kluge Entscheidungen treffen und besser (im Alter) leben. Geldanlage ist eine einfache Angelegenheit und weniger kompliziert, als die meisten von uns glauben. Sich auf das Wesentliche zu besinnen, dem eigenen Bauchgefühl und Wissen zu vertrauen, sind beste Voraussetzungen. Es gibt kein Geheimnis, auch wenn gerne geheimnisvoll getan wird.

Der Markt ist dein Freund, nicht dein Feind. Du bist Teil dieses Marktes, warum sollte er dir Böses wollen? Der Markt verspricht nichts, was er nicht halten kann. Und der Markt braucht dich, denn ohne uns Menschen würde er nicht funktionieren. Jeder von uns macht ihn wertvoller.

Wichtig ist, dass du an deinem Verständnis für Kapitalmärkte arbeitest, und vor allem, dass du Zeit mitbringst. Zeit ist wichtig. Geld in der Welt AG zu investieren ist wie eine Transatlantikfahrt. Es gibt ruhige Zeiten, in denen das Boot durch ruhiges Gewässer dümpelt, und es gibt stürmische Zeiten, wie im Jahr 2020 die Corona-Krise. Doch jeden Tag erleben wir immer wieder neu, dass nach dem Regen die Sonne kommt. Nach dem Winter kommt der Frühling, auf den Sommer folgt der wunderschöne Herbst mit all seinen Farben. Jahreszeiten sind auch der Börse bekannt. Und den Atlantik überquerst du übrigens auch nicht an einem Tag.

Fassen wir zusammen. Trends sind etwas Gutes und Schönes. Beim Anlegen und Sparen sind sie aber mit größter Vorsicht zu genießen. Lass dich also nicht von vermeintlichen Trends verführen, an deren Ende meistens Enttäuschungen stehen, so vielversprechend sie auch zunächst erscheinen.

Kapitel 10

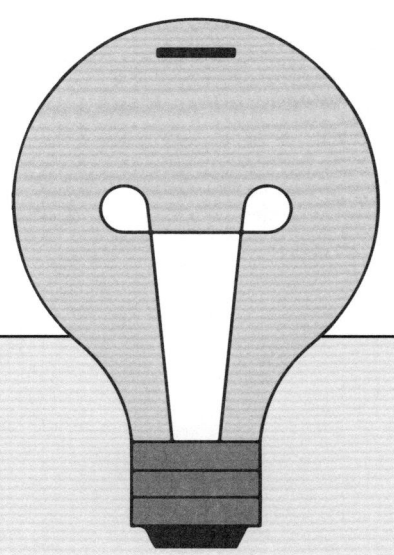

Aktien und Anleihen

oder warum du Platz in deiner Familie
für sie schaffen solltest

*I*n der Finanzanalyse steht das Triple A – also das dreifache A – für die beste Einstufung der Bonität einer Bank oder eines Finanzinstituts. Für mich persönlich reicht ein A weniger, um die besten beiden Finanzprodukte für dich kurz zusammenzufassen.

AA – A wie Aktie und A wie Anleihe

Diese beiden Dinge sind es, die dein Geld produktiv arbeiten lassen. Wie das funktioniert, erfährst du sofort. Doch zuerst räumen wir schnell noch die Dinge aus der Welt, die dich zukünftig nicht interessieren müssen. Es sind all die Instrumente und Herangehensweisen, die zu kompliziert und überwiegend dysfunktional sind, die dir als Anleger nur Sorgen bereiten. Im Folgenden eine Übersicht der verfügbaren Instrumente und Herangehensweisen, die für dich irrelevant und die für dich relevant sind, weil sie funktionieren und kostengünstigen Zugang zur Welt AG geben.

Extrem kompliziert und verwirrend

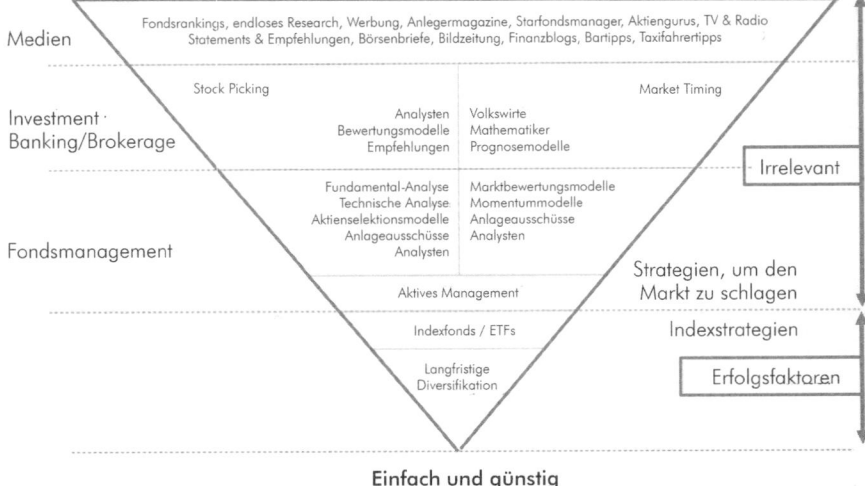

Einfach und günstig

Relevante und irrelevante Finanzprodukte

Quelle: Darstellung angelehnt an Tim Hale: Smarter Investing, S. 20

Schauen wir zunächst auf die irrelevanten. Allein bei den Begriffen dreht sich einem der Magen um und das Hirn tanzt Samba. »Stock Picking« und »Market Timing«, »Fundamentalanalyse« und »Aktienselektionsmodelle«, da fühle selbst ich nach so vielen Jahren in der Industrie noch Schmerzen.

Ich bin der Banker, den die Menschen lieben. Das habe nicht ich selbst als Marketing-Masche in die Welt gesetzt, das ist es, was Menschen nach meinen Vorträgen zu mir sagen. Ich spreche ihre Sprache, ich denke in ihrem Sinne. Ich will ihr Bestes. Ich rede kein Fachchinesisch mehr, sondern vermittle die Dinge so, dass die Menschen sie verstehen und etwas damit anfangen können. Mein Ziel ist und bleibt, dass jeder Mensch von der Kraft der freien Märkte profitieren und langfristig ein gutes Leben führen kann. Ein Leben, das auch nach dem Ruhestand geprägt ist von Gelassenheit, wenn es um den Gedanken an die eigenen Finanzen geht. Ich will, dass mein Gegenüber und auch ich das Wissen rund um die freien Märkte nutzen, um heute und morgen und in ferner Zukunft freie finanzielle Entscheidungen treffen zu können. Ich will eine Welt, in der wir die finanziellen Möglichkeiten nutzen, die uns freie Märkte bieten. Auf diesem Weg kann jeder seinen finanziellen Spielraum erweitern. Denn viele der finanziellen Probleme im Jetzt und auch im Später müssen nicht sein. Aber aufgrund eines falschen Verständnisses und Nichtwissens lassen wir täglich Geld auf der Straße liegen oder schmeißen es großzügig aus dem Fenster – und lassen zu, dass es andere aufheben.

Covid-19 hat Existenzen zerstört, selbst internationale Konzerne hat es an den Rand des finanziellen Ruins gebracht. In internationalen Metropolen sind Zehntausende Menschen gestorben. Viele konnten ihre Mieten nicht mehr zahlen, andere mussten ihre Läden schließen. Zehntausende verloren ihre Arbeit und damit die Absicherung ihrer Existenz. Wir haben uns in der Vergangenheit verleiten lassen zu glauben, dass es ein Leben ohne größere Krise gibt. Gerade in Europa haben wir uns unverwundbar gefühlt. In den Generationen vor uns, die noch Kriege erlebt haben, war der Notgroschen ein ungeschriebenes Gesetz.

Ereignisse wie die Corona-Pandemie können deshalb eintreten, weil niemand davon ausgegangen ist, dass sich so etwas entwickeln könnte. Das Gute ist nun aber, dass die Welt verstanden hat, dass so etwas in diesem Ausmaß passieren kann. Wir werden daraus lernen und alles tun, damit Pandemien in dieser Form im Keim gestoppt werden. Aber wir wissen, dass wir eben vieles nicht wissen. Daher kann es immer zu bösen und einschneidenden Überraschungen kommen. Das ist unvermeidbar. Wir können aber entscheiden, wie wir damit umgehen. Jeder sollte wissen, dass auch schwierige Zeiten finanziell überbrückbar sind. Das ist aber nur möglich, wenn ausreichend Rücklagen in guten Zeiten für schlechte Zeiten gebildet werden. Und Rücklagen kann ich nur aufbauen, wenn ich Geld zur Seite lege und es richtig und effizient arbeiten lasse.

Wenn alles gut geht, kann ich diese Rücklagen irgendwann ausgeben, ohne sie wirklich zu brauchen. Sprich: für Wünsche, für Reisen, für Autos oder was auch immer. Aber noch wichtiger ist, dass ich – wenn wieder eine Krise kommt – weiß, dass meine Familie und ich für eine gewisse Zeit abgesichert sind. Dasselbe gilt für Selbstständige und Unternehmer. Hier hat sich eingebürgert, immer eng zu kalkulieren.

Das bedeutet, es sollte möglichst nichts passieren, damit das fragile Finanznetz nicht reißt. Die Coronakrise hat gezeigt, dass viele Selbständige und Unternehmer keinen Monat ohne Umsatz überleben konnten, weil keine Rücklagen da waren.

Und damit zurück zu der Frage: Wo investieren, wie investieren? Ein gut gemeinter Tipp an dieser Stelle: Auf keinen Fall solltest du den Empfehlungen folgen, die in den Medien regelmäßig zu finden zu sind. Hier werden gerne die geheimen Aktientipps und Megatrends publiziert. Was daran geheim sein soll, wenn sie in der Presse stehen, sollte dir schon einmal zu denken geben. Hinzu kommt, dass niemand mehr als du oder ich über die Zukunft weiß. Deshalb lass dich nicht von diesen zum Teil haarsträubenden Empfehlungen verführen.

Sinnvoller und effektiver ist es, wenn du dein Geld weltweit in den Märkten arbeiten lässt. Onkel Börsenguru nennt das »Diversifikation« und diesmal ist damit wirklich die Aufteilung von Risiko gemeint. Niemand ist in der Lage, den Verlauf irgendeiner Aktie vorauszusehen, daher ist es wichtig, sich breit aufzustellen. Wie beim Pferderennen hilft es nicht, auf den Traber oder Galopper mit dem attraktivsten Namen zu setzen. Der rennt sicher nur wegen guter Namensgebung nicht schneller. Gleiches lässt sich auf Aktien und Anleihen übertragen. Sexy und innovative Bezeichnungen sollten dich vielmehr aufhorchen lassen. Besser ist es, du teilst deinen Einsatz auf und setzt auf alle teilnehmenden Vierbeiner. So hast du sicher am Ende auch auf den Sieger gesetzt. Und nichts anderes steckt hinter dem schwierigen Wort Diversifikation. Sie bringt zwar keine Millionengewinne auf einen Schlag, aber sie steht für sichere Gewinne.

Wie wir schon gelernt haben, erschafft die Kombination aus Arbeit, Wissen, Rohstoffen und Kapital Wohlstand und Fortschritt. Du bist Teil dieser Erfolgsformel. Nun ist es Zeit, dass auch dein Geld Teil dieses erfolgreichen Wohlstandsprozesses wird. Investiere und profitiere von der Kraft der freien Märkte. Die beiden besten Instrumente sind dabei Aktien und Anleihen. Vielleicht hilft dir folgender Vergleich, die Funktion dieser beiden Gesellen einzuordnen. Aktien sind wie Whiskey, Anleihen wie Wasser. Whiskey ist ein starkes alkoholisches Getränk. Für viele zu stark und deswegen verdünnen sie den Whiskey mit Wasser. Wasser sind wie Anleihen. Wasser reduziert die »Umdrehungen« im Whiskey wie Anleihen die »Umdrehungen« in deinem Depot. Anleger, die in die Welt AG investieren, aber aufgrund eines kürzer werdenden Anlagehorizonts nicht mehr nur Aktien halten sollten, nutzen Anleihen, um das Risiko zu reduzieren.

Grundsätzlich sind Aktien Anteilscheine an einem Unternehmen und können von jedem Menschen gekauft werden, sobald das Unternehmen an die Börse geht. Je nach Jahresumsatz wird dem Aktionär am Ende des Jahres eine Dividende ausgeschüttet. Die richtet sich nach der Höhe des Aktienanteils des Aktionärs. Er profitiert also einmal von dem Gewinn des Unternehmens und zugleich von der damit verbundenen Wertsteigerung des Unternehmens. Wir erinnern uns: Das eigene Geld für sich arbeiten lassen und nicht für das Geld arbeiten.

Das folgende Video über Aktien & Anleihen schafft noch mehr Überblick:

Ich habe schon häufig in den vorherigen Kapiteln die Welt AG erwähnt. Die Welt AG ist ein großer Korb an Aktien von Unternehmen aus der ganzen Welt. Hiervon gibt es verschiedene Versionen – Körbe mit 1 800 Unternehmen und sogar welche mit knapp 4 000 und mehr Unternehmen. Genauso ist es mit den Anleihen. Auch hier gibt es Körbe voll mit Anleihen aus der ganzen Welt. Du musst dir aber keinen Kopf machen, welche tausend Aktien und Anleihen du jetzt kaufen solltest. Wie beschrieben sind wir heute technisch so weit, dass diese Körbe allen Menschen leicht zugänglich zur Verfügung stehen. Das war nicht immer so. In der Vergangenheit war es Tatsache, dass der Kauf von Aktien und Anleihen für die meisten Menschen, also für die breite Masse, sehr kompliziert und vor allem teuer war. Erst mit dem Internet und den damit verbundenen neuen technischen Möglichkeiten wurde der Zugang zu den Kapitalmärkten demokratisiert.

Die Tore wurden geöffnet. Die Demokratisierung der Kapitalmärkte begann.

Doch was sind nun diese Körbe? Vergleichen kannst du diese Körbe mit den Körben, die an Geburtstagen oder zu Weihnachten verschenkt werden. Hier gibt es kleine und große Varianten und die Inhalte variieren von süß bis salzig oder beides gemeinsam. Über die Zusammenstellung dieser verschiedenen Inhalte macht sich der Anbieter Gedanken. Du musst also nicht wild durch den Supermarkt hetzen und zig Sachen suchen und einkaufen. Heute kannst du das schnell und einfach online machen. Du gehst auf die Seite des Anbieters, schaust dir das Angebot an und entscheidest dich für einen Korb. Du bezahlst und der Korb wird in der Regel zeitnah an die Person ausgeliefert, die du angegeben hast.

In der Finanzbranche heißen diese Körbe »ETF«, kurz für »Exchange-Traded Fund«. Auch hier gibt es verschiedene Versionen. Die Zusammenstellung übernimmt dabei ein sogenannter »Indexprovider«. Er macht sich Gedanken über die Inhalte und die Zusammenstellung. Und ein ETF-Anbieter stellt diese Körbe dann online zum Kauf zur Verfügung. Was ein Indexanbieter ist und wie ein ETF funktioniert, zeigt dir das folgende kurze Video:

Deutschlands bekanntester Aktienindex ist der DAX. Dieser zeigt an, wie sich der Wert der 30 größten deutschen Unternehmen entwickelt. Weltweit gibt es zig weitere Indizes, beispielsweise den Dow Jones, der größte und bekannteste Index in den USA, wenn nicht sogar weltweit.

Der erste ETF kam in Europa erst vor gut 20 Jahren auf den Markt. In den USA handelte man schon seit 1971 mit Vorläufern von ETFs. Den Durchbruch erlebten ETFs bei uns während der Finanzmarktkrise 2008. Plötzlich suchten Anleger nach Alternativen und fanden sie in Form von ETFs. Während institutionelle Investoren und Profis schon lange die Vorteile dieser Fonds für sich einsetzen, nimmt nun seit einigen Jahren auch die Anzahl der Privatanleger zu. Denn so einfach seine Funktionsweise ist, so unkompliziert kannst du zum ETF-Besitzer werden. Jede Bank bietet inzwischen die Möglichkeit, ein Wertpapierdepot zu eröffnen. Einmal getan, kannst du darin monatlich oder einmalig Geld einzahlen und in einen ETF investieren.

Neben Aktien sind es zudem eben Anleihen, die dein Geld arbeiten lassen. Das Prinzip dahinter ist schnell erklärt: Du stellst einem Unternehmen, einer Organisation oder sogar dem Staat dein Geld zur Verfügung. Dafür bekommst du im Gegenzug Zinsen und dir wird garantiert, dass du dein Geld irgendwann zurückbekommst. Es handelt sich somit um »festverzinste Wertpapiere« oder »Renten«. Die Zinsen werden dir entweder jedes halbe oder einmal im Jahr ausgezahlt. Die Höhe richtet sich dabei vor allem auch nach der Laufzeit. Je länger du dein Geld zur Verfügung stellst, desto höher der Zinssatz. Nach Ablauf der festgelegten Zeit erhältst du dein Geld zurück. In welcher Höhe, richtet sich nach verschiedenen Faktoren wie beispielsweise Entwicklung der Leitzinsen, Rating und Laufzeit.

Auch bei den Anleihen musst du dir keine Gedanken machen, welche hier die richtigen sind. Auch hier gibt es Körbe, die von Anbietern zusammengestellt werden. Wie Aktien-ETFs gibt es auch Anleihen-ETFs, die du schnell und günstig kaufen kannst.

Inzwischen sind in Deutschland etwa 1800 verschiedene ETFs verfügbar. Allerdings braucht kein Mensch diese hohe Zahl. Dieser Auswuchs ist erneut ein Beleg für die schon fast erschreckende Produktfokussierung der Finanzindustrie. Sobald es scheint, dass etwas vom Markt angenommen wird, beginnen die Anbieter, sich gegenseitig mit neuen Produkten und Variationen zu überbieten. Lass dir sagen, das Gros dieser Produkte kannst du getrost ignorieren. Du kannst damit überhaupt nichts anfangen. Das sind alles böhmische Dörfer. Hier wird fachgesimpelt und Dinge werden bewusst kompliziert gemacht.

Es braucht weniger von dem Investment- und Produktgeplänkel und viel mehr Verständnisvermittlung und aktive Begleitung der Menschen. Es bräuchte eine Bauanleitung. Vielleicht bist du selbst Fan von

Lego-Technik oder deine Kinder lieben dieses Baukastensystem. Egal welchen Bausatz du kaufst, du weißt, dass jedem eine Anleitung beiliegt. Schritt für Schritt wird erklärt, wie aus einzelnen Steinchen ein Flugzeug, ein LKW oder ein Auto entsteht. Die Finanzindustrie macht es bis jetzt anders. Aktuell werden dir nur Einzelteile (Produkte) vor die Füße geschmissen. Man geht davon aus, du brauchst und willst diese Einzelteile und weißt genau, was damit anzufangen ist. Eine Bauanleitung über den Zweck der verschiedenen Teile, hält man daher für nicht notwendig.

Der entscheidende Erfolgsfaktor ist aber die Bauanleitung. Übertragen auf unser Thema bedeutet das, dass du eine Anleitung brauchst, wie du mit den ETFs umzugehen hast. Eine einfache Schritt-für-Schritt-Anleitung. Der Börsencrash wegen des Ausbruchs von Covid-19 hat einmal mehr gezeigt, dass die meisten Menschen in Krisensituationen in Panik verfallen und versuchen, schnell alles, was sie besitzen, zu verkaufen. Das ist menschlich nur verständlich. Wir sind emotionale Wesen und Krisen machen uns Angst – wir verfallen in Panik, vor allem wenn unser Leben und unsere Existenz bedroht ist. Das Gegenteil wäre aber genau das Richtige. Nämlich diszipliniert investiert zu bleiben.

Und jetzt zeigt sich einmal mehr, was auch in schwierigen Zeiten unbedingt eingehalten werden sollte. Nicht panisch zu werden, sondern sich in Geduld und Disziplin zu üben.

Kapitel 11

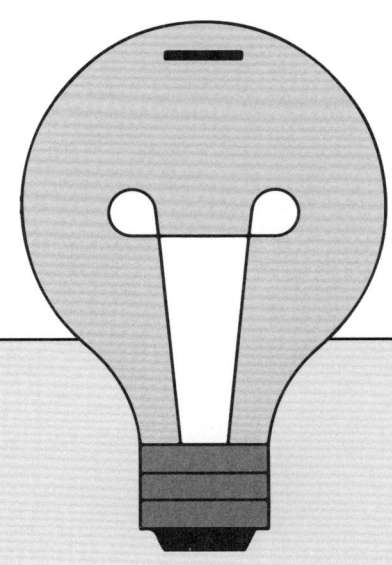

Übe dich in Geduld

oder warum du dein Geld
für dich arbeiten lassen musst

*K*apitalmärkte, die Welt AG, haben in den vergangenen 100 Jahren durch die Kombination von Arbeit, Wissen, Rohstoffen und Kapital rund 10 Prozent Rendite erwirtschaftet. Diese 10 Prozent nennt man Marktrendite. Es ist die Rendite, die durch den globalen Wertschöpfungsprozess entstanden ist. Diese Rendite kommt aber bei den wenigsten Anlegern an. Die Frage ist: Warum? Eine Antwort auf diese Frage findest du hier. Sie ist aber nicht der Weisheit letzter Schluss.

Kommen wir noch einmal auf das zum Ende des vorangegangenen Kapitels angesprochene Verhalten von Menschen in Krisensituationen zurück. Experten sprechen hier von einer sogenannten »Verhaltenslücke« oder einem »Verhaltensfehler«. Die meisten Menschen können kurzfristige Schwankungen an den Börsen nicht von langfristigen Verlusten unterscheiden.

Auch in der Corona-Krise sind die Kapitalmärkte wie beim Immobilien- und Bankencrash 2008/2009 kräftig in die Knie gegangen. Die normale Reaktion in solchen Zeiten ist, seine Anlage zu verkaufen. So hofft jeder, Schlimmeres zu vermeiden. Das passiert immer wieder und sogar professionelle Investoren machen diesen Fehler. Die richtige Reaktion wäre allerdings, investiert zu bleiben. Dein Geld kann nur in der Welt AG arbeiten, wenn es dort auch bleibt. Wenn du es zurückholst, fehlt dir der Anteil der Wertschöpfung, der in dieser Zeit entsteht. Jetzt wirst du dir denken:»Na gut, dann investiere ich eben wieder, wenn es wieder nach oben geht. Solange halte ich meine Schäfchen trocken.« Das ist in der Theorie schön gedacht, klingt logisch. Da aber niemand weiß, wann es wieder nach oben geht, verpasst man in der Regel den Einstieg. Kapitalmärkte haben mehr Aufschwünge als Abschwünge. Menschen verlieren mehr Geld in Zeiten, in denen sie nicht in der Welt AG investiert sind, als in Zeiten, in denen es mal stürmisch zugeht. Und das ist die Verhaltenslücke, die den Menschen unglaublich viele Möglichkeiten nimmt. Geld erfolgreich in der Welt AG arbeiten zu lassen hat hauptsächlich etwas mit Disziplin und gesundem Menschenverstand zu tun.

Es lässt sich sehr gut mit einer Diät vergleichen. Gewicht verliert man, wenn der Kalorienverbrauch höher ist als die Kalorienaufnahme. Ein kurzer Satz, der das gesamte Geheimnis verrät, und trotzdem gibt es eine Milliardenindustrie rund um das Thema Diät. Medikamente, Ratgeber, Coachs, Operationen und so weiter – doch das ist alles nur deshalb möglich, weil wir Menschen uns mit der Disziplin schwertun. Und wir lieben Wege, die uns eine einfachere und schnellere Möglichkeit suggerieren, unser Ziel zu erreichen.

Um nichts anderes geht es auch bei Finanzanlagen. Es existiert eine gigantische Industrie, weil wir den Gedanken lieben, ohne Unsicherheit unser Geld vermehren zu können. Also Gewicht verlieren, ohne dass wir auf Dinge verzichten müssen. Oder Muskeln aufzubauen, ohne dass wir uns bewegen und schwitzen. Wir brauchen einfach das richtige Produkt und dann purzeln die Pfunde, wachsen die Muskeln von einer Nacht auf die andere. Wir Menschen hassen Unsicherheit und sind unglaublich anfällig für Ansätze und vermeintliche Lösungen, die uns diese Unsicherheit nehmen.

Wirklich niemand hat die Corona-Krise kommen sehen, keiner an ein Virus geglaubt, das die Welt in Stillstand versetzt. Und auch die Finanzmarktkrise im Jahr 2008 und das Platzen der Dotcom-Blase im Jahr 2001 hat niemand verlässlich vorhergesagt. Das Leben überrascht uns immer wieder – im Kleinen wie im Großen. Während der Corona-

Pandemie ließ sich gut beobachten, wie aus den *Prog*nostikern plötzlich *Post*gnostiker wurden. Also aus den Menschen, die sonst ganz sicher wissen, was demnächst auf der Welt passieren wird, wurden nun Menschen, die erklärten, wie es so weit kommen konnte. Plötzlich war die Welt voll von Postgnostikern, die fantasievoll und frei interpretierten, warum sie mit so etwas nicht rechnen konnten. Sie nennen das unvorhersehbare Ereignisse.

Nassim Nicholas Taleb schreibt dazu in seinem Schwanen-Buch: »Niemand weiß irgendetwas, doch die Denkerelite glaubt, sie wüsste mehr als die anderen, eben weil sie die Denkerelite ist – wenn man zur Elite gehört, weiß man ja automatisch mehr als diejenigen, die nicht zur Elite gehören.« Treffender lässt es sich wirklich nicht zusammenfassen.

Auch dazu ein kurzes Video:

Dein Geld sollte daher nur in der Welt AG arbeiten, denn hier arbeitet es für dich. Gras wächst, weil die selbst gemanagte Photosynthese den Prozess ankurbelt. Gras wächst nicht, weil der Gärtner täglich an den Halmen zieht. Geld vermehrt sich nur, wenn du es dem Produktions- und natürlichen Wachstumsprozess zuführst. Arbeit, Geld, Rohstoffe und Wissen sind in Kombination die Photosynthese der Welt AG. Es braucht keine Gärtner oder bei der Kapitalanlage Fondsmanager oder Börsenexperten. Je mehr von denen an Anlagen herumgefummelt wird, desto schlechter die Ergebnisse.

Dieser Prozess lässt sich sehr gut anhand von Windrädern veranschaulichen:

Quelle: shutterstock © shutterstock/TatamMod

Strom kommt nicht aus der Steckdose. Zumindest hat er hier nicht seinen Ursprung. Quellen für Strom sind Wasserkraft, die Sonne und der Wind. Windräder gehören heute zum Alltag in Deutschland. Wer schon mal die A7 von Kassel aus in Richtung Norden gefahren ist, der weiß, dass es ganze Windparkgärten gibt. Dabei stehen die mit drei Flügeln ausgestatteten Türme idealerweise dort, wo stets eine frische Brise weht. Durch die Bewegung der Flügel wird ein Generator angetrieben. Dieser produziert den Strom. Aber eben nur, wenn man die Natur walten lässt.

In der Zwischenzeit, wenn Flaute herrscht, kommt niemand und baut die Räder ab und an anderer Stelle wieder auf. Das wäre viel zu kostenintensiv. Man lässt die Räder stehen und wartet auf den nächsten windigen Tag. Und das mit Erfolg, denn der Wind kommt garantiert wieder. Nicht immer wissen wir, wann genau, aber dass es bald wieder windig wird, ist gesichert. Das lässt sich eins zu eins auf die Welt AG übertragen. Dein Geld wird nur mehr, wenn es im Produktionsprozess steckt. Auch hier gibt es Zeiten, in denen Stillstand herrscht. Aussteigen und später wieder einsteigen ist teuer. Abwarten ist um einiges günstiger. Und vor allem effektiver.

Und noch etwas: Dein Geld wird auch in Zeiten von Aufregung und Unsicherheiten weiterarbeiten. Vor allem, weil die Wirtschaft gerade in diesen Momenten Geld benötigt. Es tut gute Dinge in dieser Zeit – für dich und den Markt. Vermögen entstehen immer in Krisenzeiten. Während und nach der Corona-Krise stand mein Telefon nicht still. Berater, die in meinen Schulungen waren, berichteten, wie schwer diese Zeit war, doch ihre Kunden sind alle cool und investiert geblieben. Einige hätten sogar neues Geld investiert. Diese Berater waren in den schweren Zeiten für ihre Kunden da. Das werden die Kunden niemals vergessen. Einmal aus menschlicher Sicht und zum anderen, weil die gepredigte Disziplin belohnt wurde.

Gute Berater sind wie Piloten. Fliegen gehört heute zu der sichersten Art des Reisens. Das war nicht immer so. Aber die Flugindustrie zieht aus allen Flugzeugunglücken Lehren und steigert somit laufend die Sicherheit. Viele denken, dass Piloten nur noch »Knöpfe« drücken müssen und ansonsten keine wichtige Rolle mehr spielen. Nichts ist falscher als das. Im September 2017 explodierte bei einem Airbus A380 der Fluggesellschaft Air France über Grönland eines der vier Triebwerke. Die Maschine mit Hunderten Menschen an Bord geriet in massive Schwierigkeiten. Nur den ausgebildeten und trainierten Piloten ist es zu verdanken, dass eine Katastrophe verhindert werden konnte. Piloten verdienen in diesen Situationen ihr gesamtes Lebensgehalt. Tausende von Flugstunden läuft alles gut und dann kommt es zum Tag X. Ein guter Pilot ist jeden Cent wert. Genauso ist es mit Beratern, die wie ich Deutschland zu einem besseren Ort für Anleger machen wollen. Sie kosten Geld, aber wenn Tag X eintritt, sind sie es, die dich zumindest finanziell sicher durch die Krise bringen.

Lange Zeit läuft alles glatt …
und dann passiert etwas Unerwartetes!
Gute Finanzberater sind wie erstklassig ausgebildete Piloten.
Sie sind auf unvorhersehbare Ereignisse vorbereitet
und verhindern Schlimmeres.
In solchen Situationen verdienen Piloten und
Finanzberater ihr Gehalt für ein ganzes Leben!

— Christoph R. Kanzler —

Geld, das aus der Welt AG abgezogen wird, kann nicht arbeiten. Das dürfen wir auf keinen Fall in schwierigen Zeiten vergessen. Wie schwierig sie auch immer sein mögen, wie sehr wir eventuell das Geld auch kurzfristig brauchen würden. Wann immer es machbar ist, lass es investiert.

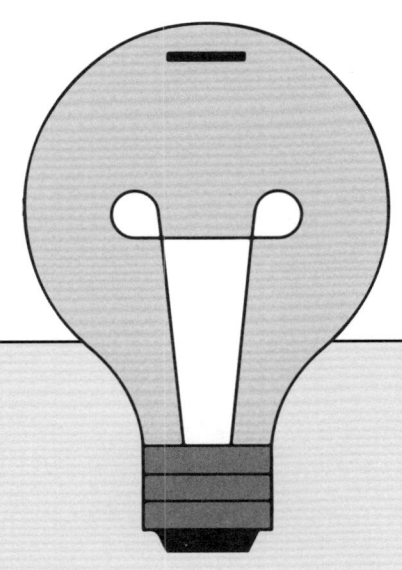

Kapitel 12

Via Negativa

oder worüber du dir
keine Gedanken machen musst

K ommen wir nun zu den Faustregeln, die dir helfen, ein erfolgreicher Anleger in der Welt AG zu werden. Und beginnen wir mit dem, was du nicht brauchst. Ich hatte dir dazu schon ein paar Worte geschrieben, aber rufen wir es uns noch einmal in Erinnerung.

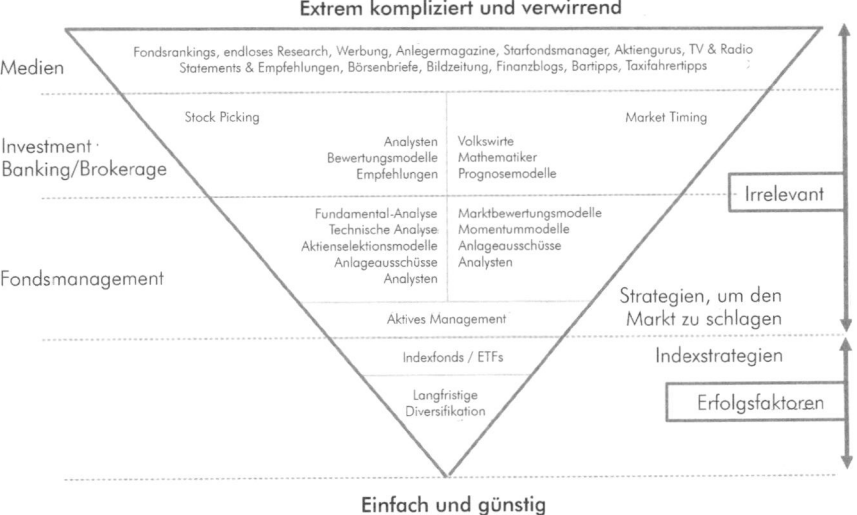

Fällt dir nun, nachdem du schon einiges gelesen hast, beim erneuten Betrachten der Grafik etwas auf? Genau – alles, was heute als Standard in der Finanzdienstleistung definiert wird und von Anlegermagazinen in großen bunten Buchstaben beworben wird, findest du im irrelevanten Bereich wieder.

Das bedeutet, dass alles, was mit Anlegen und Kapitalmärkten in der Regel in Verbindung gebracht wird, für dich nicht notwendig ist. Damit bleibt eine berechtigte Frage: Wenn es keiner braucht, woher kommen all diese Sachen? Wie alles hat auch die Finanzdienstleistung eine Geschichte. Market Timing, Stockpicking, Chartanalysen, um nur einige zu nennen, waren Versuche, die sich aber als nicht erfolgreich herausgestellt haben. In den 1970er- und 1980er-Jahren war das alles nicht falsch. Man wusste es schlichtweg nicht besser. Genauso wie damals das Drehscheibentelefon Marktstandard war, es war der aktuelle Entwicklungsstand der damaligen Zeit. In Sachen Telefon haben wir uns massiv weiterentwickelt, genauso bei Autos, in der Medizin und vielen anderen Lebensbereichen. Interessanterweise ist die Welt der Kapitalanlagen irgendwie in den 1970er- und 1980er-Jahren hängengeblieben. Obwohl auch hier aufgrund von Forschung und Innovation neues Wissen und innovative Technik verfügbar sind. Und dieses Wissen und diese Technik findet sich im Bereich des Schaubilds unter wesentliche Erfolgsfaktoren.

Hier zeigt sich erneut das bestehende Missverständnis zwischen Finanzindustrie und den Menschen. Die irrelevanten Themen findet die Industrie großartig. Sie liebt es, darüber zu fachsimpeln. Niemand kann die Zukunft voraussagen und dennoch basieren die meisten Anlageprodukte auf dieser Fiktion. Ich habe immer das Gefühl, die Finanzbranche glaubt, dass sie das tun müsste. Trotz aller damit verbunden Nachteile betreibt die Finanzindustrie weiterhin Glaskugelguckerei, da sie fürchtet, sonst ihre Existenzberechtigung zu verlieren. Es geht stets darum, den Markt zu schlagen. Aber der ist nun einmal stärker als wir und er ist immer in Bewegung. Dabei gäbe es so viele andere Themen, deren Existenz mehr als nur berechtigt wäre.

Und dass Taxifahrer, die dir auf der Fahrt zum Flughafen einen echten finanziellen Geheimtipp mit auf den Weg geben, oder der Barkeeper, der dir nach dem vierten Bier von der grandiosen Aktie berichtet, als Anlage-Insider weniger infrage kommen, braucht wohl keine weitere Erklärung. Das hat nichts mit Taxifahrern oder Barkeepern zu tun. Das Geheimnis ist, dass es kein Geheimnis gibt. Und deswegen, können dir weder Taxifahrer, Barkeeper oder andere Berufsgruppen Insider-Tipps geben.

Den Tipp, den ich dir aber mit auf den Weg geben möchte: Verzichte konsequent, dein Geld in folgende Instrumente und Produkte zu investieren:

- Einzelaktien, Einzelanleihen
- Strukturierte Produkte
- Optionsscheine
- geschlossene Beteiligungen
- Mischfonds
- Dachfonds
- Branchenfonds
- Hedgefonds
- Rohstoffanlagen
- alternative Anlagen

Verzichte generell auf alles, was dich davon abhält, dein Geld in den Produktionsprozess der Wirtschaft zu investieren. Einfach auf alles, was dir nicht verständlich ist. Alles, bei dem sich nicht erschließt, wie sich dort dein Geld vermehren soll. Und vergiss in diesem Zusammenhang nie: Es ist nicht möglich, die Entwicklung der Kapitalmärkte vorherzusagen – du kennst die Zukunft nicht und auch niemand anders kennt sie.

Allein indem du auf all diese Dinge verzichtest, wirst du es besser machen als 95 Prozent der Deutschen. Du gewinnst schon allein deshalb, weil du es einfach nicht machst, das Spiel nicht mitspielst. Halte dich raus und werde nicht zum Lemming, der wie alle anderen artig folgend in seinen Tod springt.

Regel Nr. 1

Lass dich nicht von Medien und Börsengurus verführen!

Das ist einfacher niedergeschrieben, als es sich umsetzen lässt. Da stimme ich dir zu. In einem Land, in dem jeder von uns laut Statista 211 Minuten Fernsehen am Tag schaut, ist es schwierig, Nachrichten zu ignorieren. Dazu kommen die Popup-News auf unseren Smartphones, die Berichterstattung auf Social-Media-Kanälen und andere Wege, auf denen Medien uns erreichen. Wir sind zunehmend verunsichert und lassen uns unbewusst beeinflussen. Selbst wenn wir Finanznachrichten nicht bewusst konsumieren, liest oder hört man an anderer Stelle zufällig etwas, schnappt irgendwo einen Informationsbrocken auf, sodass wir auch ohne gezielte Informationssuche bestens versorgt sind. Das Wichtige werden wir durch unsere Umgebung erfahren.

Doch diese ganze Nachrichtenflut wirkt sich nicht positiv auf dein Leben aus, es sorgt nur für Verwirrung. Medien lieben es, über den nächsten Crash zu philosophieren und dann doch überrascht zu sein, wenn ein Virus innerhalb von wenigen Wochen die weltweite Wirtschaft lahmlegt. Jeder Schnupfen am Markt ist ein Anzeichen von einer zukünftigen Grippe. Ereignisse werden gezielt dramatisiert, um die Menschen zu Handlungen zu zwingen.

Lass dich von dem Lärm nicht von deinem Weg abbringen. Wie schön auch das Blumenfeld abseits des Weges aussehen mag, wie schön es dir auch jemand nahebringt und dich verführen will – schon Rotkäppchen hat erfahren müssen, dass auf dich irgendwo der Wolf wartet. Bringe die Dinge sicher nach Hause, die du in deinem Korb hast. Alles andere überlasse anderen.

Regel Nr. 2

Widerstehe Verlockungen!

Das ist mit Sicherheit eine der am schwierigsten zu befolgenden Regeln. Aber wenn du es konsequent durchziehst, wirst du dir viel, viel Geld und Ärger sparen. Höre auf, dich mit angeblichen Topangeboten, der ganz sicheren Geldanlage oder dem Rendite-Booster von deinem Weg abbringen zu lassen. Die Finanzindustrie schafft es noch besser als die Modeindustrie, laufend mit neuen Kollektionen und Trends (Produkten) deine Lust zu wecken und vor allem mit deiner Angst vor Verlusten zu spielen. Nichts und niemand kann Börsenkurse vorhersagen. Den so oft angepriesenen idealen Kauf- oder eben Verkaufszeitpunkt gibt es nicht. Er ist ein Ammenmärchen der Finanzbranche.

An dieser Stelle möchte ich explizit auf das Thema Gold eingehen. Gold ist ein Thema, das immer dann wieder aktuell wird, wenn Krisen herrschen oder man nicht weiterweiß. Immer wenn es unruhig wird, kommt von allen Seiten der Hinweis, nun auf jeden Fall unbedingt Gold kaufen zu müssen. Gold ist wertsicher, schützt gegen Inflation und gegen alle anderen Krankheiten. Ja, es stimmt, dass der Goldpreis bislang niemals auf null gesunken ist. Und dennoch ist Gold kein Allheilmittel in Krisenzeiten.

»Seit der Goldpreis ab etwa 1975 frei am Markt schwankt, also über fast 45 Jahre hinweg, hat Gold eine fast einzigartig unattraktive Rendite-Risiko-Kombination produziert – davor war seine Rendite noch niedriger.«[35] Dieses Zitat stammt von Dr. Gerd Kommer, der einen hervorragenden Artikel zu diesem Thema geschrieben hat.[36]

Dr. Gerd Kommer beantwortet darin die Frage, warum das Investment in das Edelmetall nicht wirklich sinnvoll ist. Dafür hat er vor allem die historische Rendite und auch das historische Risiko betrachtet. Beide stimmen mit der Mär vom Gold als wertvolles Investment, als sichere Anlage nicht überein. So lag der Wert einer Feinunze Gold im Jahr 1980 bei 850 US-Dollar, was – die jährliche Inflation eingerechnet – bedeutet, dass wir von einem Betrag reden, der einem heutigen Geldwert von rund 2 800 US-Dollar entspricht. Ende 2019 stand der Goldpreis bei 1 500 US-Dollar. Jeder, der in der Grundschule beim Rechnen noch aufgepasst hat, kann feststellen, dass Gold nicht wirklich wertvoller geworden ist. Vielmehr hat sich sein Preis innerhalb von 40 Jahren quasi halbiert.

Daher: Gold gehört nicht in dein Depot. Und wenn du meinst, Gold besitzen zu müssen, weil du es in schweren Krisen als Zahlungsmittel siehst, besorge dir physisches Gold in kleinen Einheiten. Wenn eine Krise kommt und du hast Gold in deinem Depot, wird dir das wenig bringen, da du nicht sicher sein kannst, dass du es auch wirklich ausgezahlt bekommst.

Wenn du aber physisches Gold in kleinen Einheiten wie beispielsweise in Münzen bei dir im Keller hast, kannst du es nutzen. Gold ist das beste Beispiel für eine immer wiederkehrende falsche Geschichte. Gold suggeriert Wert, und das vor allem in Zeiten der Angst. Aber es ist wie so oft einfach Mittel zum Zweck.

Regel Nr. 3

Verzichte auf wildes Kaufen und Verkaufen

Diesen wahrscheinlich wichtigsten Punkt haben wir bereits intensiv besprochen. Renditen entstehen durch die Kraft freier Märkte als Ergebnis des Zusammenspiels zwischen Konsumenten und Produzenten. Aktionismus, bei dem du wild kaufst und verkaufst, schadet deiner Rendite. Belasse dein Geld im Wertschöpfungsprozess. Es ist wie mit einem Baum. Je länger er wachsen kann, desto schöner wird er. Er wird größer und stärker. Dabei überlebt er auch schwierige Sommer und düstere Winter. Genauso wird es mit deinen Lebensanlagen sein.

Regel Nr. 4

Du legst dein Geld nicht an, um dich vor einem Crash zu schützen!

Sagst du deinen Sommerurlaub ab, obwohl du weißt, dass es an zwei oder drei Tagen auch schlechtes Wetter geben kann? Sicher nicht. Du fährst in den Sommerurlaub, um die schönen Tage zu nutzen, um den Strand, das gute Essen, die freie Zeit zu genießen. Die schönen Tage überwiegen, daher machen wir uns über die wenigen schlechten Tage – die ja nicht einmal sicher eintreffen werden – keine großen Gedanken. Ein Reisebüro, das dir einen Sommerurlaub anbietet und in seiner ganzen Kommunikation laufend die Gefahr von schlechtem Wetter vor Augen hält, wird nicht lange im Geschäft bleiben. Du buchst keinen Sommerurlaub, um dich vor den schlechten Tagen zu schützen.

Was du stattdessen machen wirst: Du wirst dich auf die schlechten Tage einstellen, du wirst dich auf das Risiko vorbereiten und für diese Tage entsprechende Kleidung einpacken. Aber du wirst in den Urlaub fahren und dir von den möglichen schlechten Tagen den Spaß nicht verderben lassen.

Wie im Sommerurlaub gibt es auch an den Kapitalmärkten mehr schöne Tage (Aufschwünge) als schlechte Tage (Abschwünge). Aber alle reden von den schlechten Tagen (die keiner vorhersagen konnte) und die Mehrheit entscheidet sich dafür, sich auf die schlechten Tage vorzubereiten (den Urlaub zu canceln), anstatt die schönen Tage zu erleben. Das ergibt keinen Sinn, lässt sich aber durchaus erklären.

»Bei einem Börsencrash verlieren auf einen Schlag alle ihr Geld« – diese Meinung ist weit verbreitet. Dieses Verständnis sorgt dafür, dass sich Anlagestrategien mit aktivem Risikomanagement und Garantien so erfolgreich verkaufen lassen. Übertragen auf den Sommerurlaub bedeutet das: Du bezahlst für den Urlaub, das Reisebüro entscheidet aber, an welchen Tagen du dorthin fahren wirst – das nennt man aktives Risikomanagement. Anlagestrategien mit Garantien kann man so übersetzen: Du bezahlst für den Urlaub, musst aber die ganze Zeit im Hotel bleiben.

Es hat in der Vergangenheit gecrasht und es wird auch zukünftig crashen. Und niemand kann einen Crash vorhersagen. Per se ist ein Crash auch nichts Schlechtes. Wie ein Sommergewitter sorgt er für Abkühlung. Ein Crash säubert den Markt, er macht Platz für Neues. Lass uns dazu einmal näher anschauen, was ein Crash eigentlich ist. Bei Crash denken wir an Unfall, Verletzte oder andere unschöne Dinge. Die Börse ist kein Objekt oder Organismus mit eigenem Seelenleben. Die Börse ist die Summe aller Menschen, die dort ihr Geld investiert haben. Wie auf einem Wochenmarkt gibt es dort Käufer und Verkäufer. Die Kurse der Börsen steigen, wenn mehr Informationen im Markt bekannt sind, welche die Teilnehmer zum Kaufen veranlassen. Börsen fallen, wenn mehr Informationen im Markt sind, welche die Teilnehmer zum Verkaufen anregen.

Es gibt immer Käufer und Verkäufer. Das sorgt für einen ausgeglichenen Balanceakt, sodass sich Börsen gemütlich entwickeln. Es kann sich aber auch schlagartig das Wetter verändern, wenn plötzlich Informationen bekannt werden, welche die Marktteilnehmer dazu veranlassen, wie wild zu kaufen oder eben auch wie wild zu verkaufen. Das eine nennt man Rally, das Gegenteil schimpft sich Crash.

Ja, Menschen verlieren Geld bei einem Crash. Das ist zweifelsohne richtig. Einige verlieren sogar ihr ganzes Vermögen. Parallel gibt es aber auch Menschen, die kein Geld verlieren und gestärkt aus dem Crash hervorgehen. Wer vorgesorgt hat und die entsprechende Kleidung trägt, ist fein raus – im Regen wie im Crash.

Und das gilt eben auch für Anlagen. Bei einem Crash verlieren die Menschen Geld, die nicht vorbereitet waren. Da niemand weiß, wann der nächste Crash kommt, gilt es, Anlagestrategien zu wählen, die möglichst resistent gegen Abstürze sind, die wie ein Stoßdämpfer wirken. Sicher ist die Erschütterung spürbar, weil sich das Depot in der Bewertung ändert. Dies ist aber nur vorübergehend, da Kapitalmärkte mehr Aufschwünge als Abschwünge erleben. Menschen verlieren Geld, wenn sie über Anlagen verfügen, die keinen Schutz bieten. Das sind Einzeltitel, Brancheninvestments und spekulative Wetten.

Das folgende Video zeigt dir ab Minute 08:00, welche Dinge ins Depot gehören und welche nicht:

Diese Prinzipien solltest du tief in deinem Bewusst- und Unterbewusstsein verankern. Und du musst sie diszipliniert umsetzen. Sobald du dein Geld in die freien Märkte investierst und die eben genannten Regeln konstant befolgst, desto mehr immaterielle Werte werden zusätzlich Einzug in dein Leben erhalten. Seelenfrieden, finanzielle Freiheit, Unabhängigkeit, Zeit für das Lachen deiner Kinder, Momente mit deinen Eltern, deinem Partner und die Freude am Leben. Musik machen, Lachen und Essen. Du kannst ein fantasievolles und fantastisches Leben führen.

Die Kraft der freien Märkte steht allen Menschen zur Verfügung und jeder kann daran partizipieren. Und das ist einfacher, als du sicher vor dem Lesen dieses Buches gedacht hast. Es braucht nur eine neue Einstellung zum Thema Finanzen, es braucht den Willen und die innere Überzeugung, dass auch du das mit den Kapitalmärkten kannst.

Kapitel 13

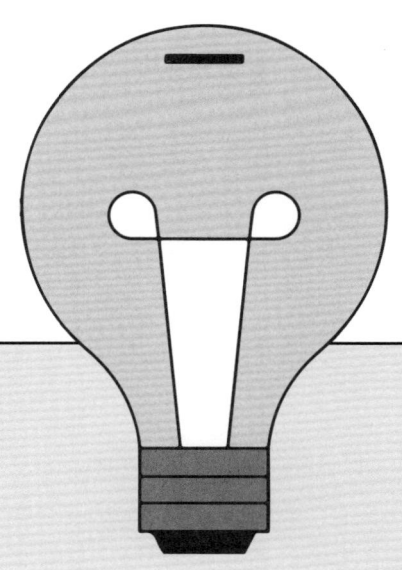

Fang jetzt an

oder wie du zu deinem Anteil kommst

*I*m vorherigen Kapitel hast du gelernt, was du unbedingt vermeiden solltest. Jetzt kommen die Dinge, die du unbedingt tun solltest. Und verzeih die Reihenfolge, aber es ist immer wichtiger, erst einmal die Missverständnisse aus der Welt zu räumen. Innovationen und Neues brauchen Mut und es braucht ein wenig Zeit, sich daran zu gewöhnen. Menschen sind nachgewiesenermaßen Herdentiere – daher muss immer einer anfangen, bevor sich auch die anderen trauen. Wie wäre es, wenn du diesmal mit zu den Ersten gehören würdest, die loslaufen? Du musst dabei keine Führungsrolle übernehmen, aber zumindest in der Startaufstellung stehen und Vollgas geben, wenn es losgeht. Und der richtige Zeitpunkt ist jetzt. Tag eins oder eines Tages – die Entscheidung darüber solltest du aus voller Überzeugung getroffen haben nach dem, was du alles in den letzten Tagen und Wochen gelesen und gelernt hast. Es ist alles vorhanden.

Du weißt nun, warum dein Geld richtig investiert besser aufgehoben ist. Warum es nicht gewinnbringend ist, wenn du andere damit spekulieren lässt. Du hast den Weg verstanden, wie du dein Geld durch die Kraft freier Märkte produktiv arbeiten lässt. Und du hast das Prinzip der freien Märkte verstanden. Begriffen, dass die staatliche Vorsorge und ein eventuell noch zusätzlich geschlossener Riestervertrag dich nicht auf Dauer glücklich leben lassen.

»Wird schon irgendwie werden …« ist wirklich der denkbar ungünstigste Ausgangsgedanke, wenn es um deine Lebensanlagen geht. Da wird nichts werden, zumindest eben nicht gut. Und nur du hast es in der Hand, daran etwas zu ändern. Und das nötige Rüstzeug habe ich dir schon bereitgestellt und erklärt. Aktien und Renten sind kein Allheilmittel, aber sie sind nützlich. Und eine gute Ausgangslage.

Nachdem wir nun auf teilweise lustige, teilweise direkte und an dem einen oder anderen Punkt provokante Weise darüber gesprochen haben, was ist, was geht und was nicht, jetzt ein paar praktische Tipps. Quasi vom Praktiker zum zukünftigen praktischen Experten. Meine Jahre in der Finanzindustrie haben mich geprägt. Das hilft mir, im Heute Dinge anders zu betrachten und Fragen zu stellen, die sich andere verkneifen. Aber auch hier – und jetzt wirst du vielleicht erstaunt sein – geht es mir um alle Menschen, die Finanzberater und Banker einbezogen.

Denn es gibt da gute Typen. Berater, die wirklich die individuellen Bedürfnisse der Menschen mithilfe von Produkten und Dienstleistungen bedienen wollen, Defizite und Mängel im besten Fall aus der Welt räumen möchten. Doch ihnen sind häufig die Hände gebunden. Es sind hierfür noch nicht ausreichend Angebote vorhanden. Auch fehlt es häufig in den Organisationen am Mut, neue Dienstleistungen zu entwickeln. Es ist an dir und all den anderen Menschen da draußen, zu sagen, was ihr euch wirklich wünscht. Was es wirklich braucht. Äußert eure Wünsche und fragt nach Alternativen zu Bestehendem. Das Angebot wird sich entsprechend verändern.

In meinen Seminaren und Schulungen nehme ich Berater mit in eine neue Welt der Finanzberatung und zeige auf, wie Finanzberatung im Sinne der Menschen ausschauen und funktionieren kann.

Gemeinsam kreieren wir ein Angebot, das in Zukunft jedem Menschen den Weg zu den freien Märkten öffnet und jeden davon profitieren lässt. Aktuell sind diese Berater noch die Ausnahme. Aber es werden sich immer mehr anschließen, wenn sie erkennen, dass sich damit viel Gutes erreichen lässt. Für dich als Kunde und für den Berater und auch seinen Arbeitgeber.

Nun eine sicher an vielen Ecken und Enden ergänzbare und individuell anpassbare Schritt-für-Schritt-Anleitung, wie du vorgehen kannst, wenn du aus dem »eines Tages« den »Tag eins« machen willst. Erinnere dich immer daran, dass es bei allem nur um einen Menschen geht. Und zwar um dich. Deine Ziele, deine Wünsche. Wenn du dein Geld innerhalb der weltweiten Produktivität arbeiten lässt, ist das auch am Ende Mittel zum Zweck. Es dient dem Umstand, dass du dauerhaft ein entspanntes Leben führst – zumindest in Sachen Finanzen. Beginnen wir also jetzt in voller Absicht, den Dingen ein neues Leben einzuhauchen und es besser als bisher zu machen. Was sollte also in deinem Portfolio am Ende zu finden sein?

- ein globaler Aktien-ETF
- ein globaler Renten-ETF

Die beiden zusammen genommen bilden die Welt AG ab. Die globale Werkbank, der du dein Geld zur Verfügung stellst. Es wird sich vermehren, weil es produktiv arbeitet. Keiner kann genau sagen, in welcher Höhe und wie schnell. Du kannst aber erwarten, dass es mehr werden wird. Du investierst in Tausende Unternehmen und daher musst du dir auch keine Gedanken machen, wenn das eine oder andere sich vom Markt verabschiedet. Auch wenn es zu starken Kursschwankungen kommt, wird dein Welt-AG-Depot sie besser abfedern, als wenn du zum Beispiel nur in den DAX investiert hättest. Die breite Streuung arbeitet wie die Stoßdämpfer bei einem Auto.

Wie gesagt, ich kann keine Marktbewegungen voraussagen. Keine gewinnbringenden Aktien prognostizieren. In welchem Verhältnis du die globalen Aktien- und Renten-ETFs einsetzen solltest, hängt von deinem Anlagehorizont ab und wie viel Schwankung du bereit bist auszuhalten.

Dir folgende Übersicht gibt dir eine Orientierung, was den Anlagehorizont angeht.

Anlagehorizont (in Jahren)	Maximale Aktienquote (in Prozent)	Maximale Rentenquote (in Prozent)
0–3	0	100
4	30	70
5	40	60
6	50	50
7	60	40
8	70	30
9	80	20
10	90	10
> 11	100	0

Je höher der Aktienanteil, desto höher die erwartet Rendite, immer bezogen auf die Dauer der Anlage. Erhöhst du den Aktienanteil bei kürzerer geplanter Anlagedauer, steigt zwar die zu erwartende jährliche Rendite, aber du erhöhst auch das Risiko. Es kann sein, dass es an der Börse zu Turbulenzen kommt, wenn du das Geld brauchen solltest. Dann bleibt nur, den Anlagehorizont zu erweitern.

Generell: Je näher du zum Ende deines Anlagehorizonts kommst, desto weniger Aktien darfst du in deinem Depot halten.

An dieser Stelle möchte ich, um Missverständnis zu vermeiden, auf die Definition des Wortes »erwarten« eingehen. Am anschaulichsten lässt sich das wieder mit dem Fliegen erklären. Wenn du in den Urlaub fliegst, »erwartest« du, dass du gut und sicher ankommst. Dafür gibt es aber keine Garantie. Unglücke passieren immer wieder. Und auch vor Ort kann dir keiner sicher zusagen, dass das Versprochene garantiert eingehalten wird. Fotos lügen bekanntlich. Die Frage ist nun: Würdest du auch mit deiner Familie in den Flieger einsteigen, wenn du »hoffen« müsstest, dass ihr wohlbehalten ankommt? Die Antwort – eine der wenigen Vorhersagen, die ich mir zutraue – ist sicherlich ein klares »Nein, natürlich nicht!«. Du kannst deshalb »erwarten«, beim Fliegen anzukommen, weil die Flugindustrie konsequent aus Unglücken und Fehlern lernt.

Wenn wir an den Kapitalmärkten von »Rendite erwarten« sprechen, basiert das »Erwarten« auf Erfahrungswerten der Vergangenheit. Die Vergangenheit gibt uns Orientierung, wir können damit zwar nicht in die Zukunft blicken, aber die Werte sind das Beste, das wir haben. Wie beim Fliegen können wir aus Fehlern beim Anlegen in der Vergangenheit lernen und es besser machen. An den Kapitalmärkten kannst du erwarten, dass sich dein Geld vermehrt, wenn du die Regeln des Investierens beachtest.

Die Regeln des Investierens:

- Konzentriere dich auf die wesentlichen Erfolgsfaktoren.
- Investiere in Aktien und Renten.
- Investiere in die Welt AG.
- Stelle keine Prognosen auf und glaube vor allem keinen Prognosen.

- Bleibe diszipliniert.
- Sei bereit, für gute Finanzberatung zu bezahlen.

Risiko bedeutet, dass persönlich getroffene Annahmen nicht in der Zukunft eintreten. Ich kann es nicht häufig genug wiederholen. Nichts und niemand kann die Zukunft vorhersagen. Prognosen sind persönliche, subjektive Annahmen. Sie können eintreten oder auch nicht. In beiden Fällen hat das aber nichts mit Können und noch weniger mit Wissen zu tun, sondern mit purem Glück oder eben Pech. Dinge entwickeln sich unvorhersehbar.

Spekulanten sind aus den verschiedensten Gründen nicht gewillt, aus der Vergangenheit zu lernen. Hier geht es häufig um Spielsucht. Menschen gehen regelmäßig ins Casino, obwohl dort mehr verloren als gewonnen wird. Rational ist das nicht zu erklären. Jeder muss selbst entscheiden, was er mit seinem Geld machen will. Mit dem Geld fremder Menschen sollte aber nur investiert und nicht gezockt werden.

So wie du dich nur in ein Flugzeug setzt, wenn du erwarten kannst, sicher anzukommen, solltest du künftig dein Geld auch nur dort investieren, wo du erwarten kannst, dass sich dein Geld vermehrt.

Daher: Erinnern wir uns noch einmal an die Erfolgskombination, die das Leben in Deutschland besser und sinnvoller für viele von uns gemacht hat. Und nicht nur in Deutschland, auch in zahlreichen Nachbar- und weiter entfernten Ländern hat der Produktionskapitalismus arme Menschen zu Bürgern mit einem Auskommen gemacht. Es sind die vier Faktoren Kapital, Wissen, Material und Arbeitskraft, die Wohlstand schaffen und damit dein Geld vermehren.

Arbeitskraft   Rohstoffe   Wissen   Kapital

Erweitern wir das nun wie folgt und schaffen wir eine Definition von dem, was du ab sofort sein wirst – ein erfolgreicher Anleger. Dein Geheimnis in Buchstaben:

Kapital (**K**) + Zeit (**Z**) + Anlageprodukt (**A**) + Institution (**I**) + Wissen (**W**)
= erfolgreicher Anleger

Alle Faktoren in diesem Zusammenhang sind wichtig. Aber mit den beiden Faktoren Zeit und Wissen hast du den größten Einfluss auf deinen Erfolg. Aber es braucht Geduld, damit sich das investierte Kapital vermehren kann. In der Regel aber hast du diese Zeit. Zehn Jahre und aufwärts ist die perfekte Ausgangslage. Du hast auch 18 Jahre wachsen und reifen müssen, bevor man dir offiziell Mündigkeit zusprach. Bevor man sich traute, dich auf den Straßenverkehr loszulassen. Und niemand schenkte dir den Luxus, das Ganze zu verkürzen – artige 18 mal 365 Tage plus rund vier weitere Schaltjahrtage musstest du durchhalten. Rückblickend hat es sicher nicht geschadet. Oder was meinst du?

Je länger du dein Geld an den freien Märkten arbeiten lässt, desto mehr wirst du dich über das Ergebnis freuen können. Die Börse ist wider Erwarten kein Ort für kurzfristige Anlagen. Sie ist wie ein großer Wald, in dem die gepflanzten Bäume Zeit zum Wachsen brauchen. Wer die Tanne nach drei Jahren aus der Erde rupft, um sich über zwei, drei Wochen in der Weihnachtszeit an ihrem Anblick zu erfreuen, wird schnell feststellen, dass am Ende nicht viel übrig bleibt. Einzelteile sind es, die sich auf unseren Wohnzimmerböden verteilen, und wir verbringen Stunden damit, die sich langsam auflösende Tanne aus dem Haus zu schaffen. Und am Ende bleibt ein kahles Skelett, das wenig schön anzuschauen und besser schnell zu entsorgen ist.

Je länger du deinem Baum Zeit gibst, desto stärker wird er sein. Je mehr Sommer du ihn erleben lässt, je mehr Winter er sich durchschlagen muss, desto kraftvoller wird er am Ende sein. Das ist die Natur, das ist natürlich. Das ist Leben. Rechne im Ganzen, nicht in Abschnitten. Sage von Beginn an, dass du das Geld zehn Jahre investierst. Sicher gibt es Lebensanlagen, in denen das nicht möglich oder recht schwierig umsetzbar ist. Aber dann nimm einfach weniger Geld in die Hand. Schon 50 Euro reichen.

Schauen wir doch mal, was du damit so anstellen kannst. Die Fakten: 50 Euro pro Monat, angelegt über 30 Jahre. Im klassischen Fall macht das bei 2 Prozent Zinsen am Ende 24 604,54 Euro.

Gehen wir nun davon aus, dass du das Ganze in die Welt AG investiert hast und einen prozentualen Durchschnitt an Rendite von 7 Prozent bekommst, haben wir bei 50 Euro im Monat und einer Laufzeit von 30 Jahren am Ende 58 825,45 Euro. Und wer rechnen kann, stellt fest, das ist mehr als das Doppelte. Oder in konkreten Zahlen ausgedrückt: 34 220,91 Euro mehr.

Solltest du deinen Anlagehorizont kürzer als zehn Jahre planen wollen oder müssen, empfehle ich dir, einen Berater zu konsultieren. Und zwar einen guten. Dieser Berater wird dich unterstützen, ein Portfolio zusammenzustellen, das aus globalen Aktien-ETFs und globalen Renten-ETFs zusammengesetzt ist – und zwar im zu dir passenden Verhältnis. Dieser Berater wird dich auch entsprechend unterstützen, wenn auf einen ersten ein zweiter schlechter Sommer folgt. Denn bei einer kürzeren Laufzeit macht sich fehlender Sonnenschein leider doch bemerkbar. Nicht gravierend, aber er ist sichtbar.

Es ist aber so, dass das Ganze nicht völlig ohne deine Bank passieren kann. Ohne Bank kein Investment in ETFs. Die Bank ist dein Zugang, die Bank macht den Weg frei. Irgendwann soll es sogar einmal eine Bank gegeben haben, die mit diesem Slogan geworben hat.

Die Bank ist ein Bindeglied. Sie ist wie eine Mautstation oder sagen wir mal, sie ist eher eine Autobahn, für die eine Maut fällig wird. Eventuell auch noch eine Depotgebühr – aber alles im überschaubaren Rahmen. Das Internet macht es dir einfach, die einzelnen Anbieter zu vergleichen.

Kosten sind in Sachen Wohlstandsanlagen ein wichtiger Faktor, dem du Zeit und Aufmerksamkeit schenken solltest. Information ist alles. Dennoch darfst du dich auch nicht reinsteigern und die kommenden zehn Jahre mit Recherchen verbringen. Irgendwann musst du anfangen. Gut vorbereitet ja, bis ins letzte Detail studiert aber ist nicht notwendig. Suche nicht nach Anbietern, die kostenlose Angebote farbenfroh anpreisen, sondern nach fairen Lösungen. Wie jedes Wirtschaftsunternehmen muss auch eine Bank Geld verdienen. Sei bei kostenlosen Angeboten eher zurückhaltend und frage dich, wie dort denn dann Geld verdient wird.

Es ist wichtig, dass du zeitnah dein Geld an den freien Märkten platzierst und es zu arbeiten beginnt. Für dich und in deinem Sinne. Jeder

Tag, den du weiter verstreichen lässt, ist ein Tag weniger Rendite. Kein Tag Recherche kann das reinholen. Die Zeiten von kostenlosen Konten und Depots sind vorbei. Mal abgesehen davon, dass sie sowieso nie wirklich kostenfrei waren. Irgendwo muss das Geld herkommen, um Mitarbeiter, Büros und die Infrastruktur zu bezahlen. Bislang hast du nur nicht mitbekommen, wie und wo das passiert ist.

Die Finanzindustrie lernt hier aktuell dazu und verlangt für zu erbringende Leistungen Gebühren. Wenn du beispielsweise einen ETF kaufen willst, um in die Welt AG zu investieren, musst du dafür Transaktionskosten bezahlen, vergleichbar mit einer Maut. Und um beim Autobeispiel zu bleiben, muss dein ETF ja auch »geparkt« werden. Wenn du dein Auto abstellst, zahlst du in der Regel für die Garage oder den Stellplatz. Den ETF kannst du natürlich nicht in deiner Garage parken, sondern hier heißt der Stellplatz »Depot«. Entsprechend wird die Bank dir eine Depot- wie eine Parkgebühr für deinen ETF oder deine ETFs in Rechnung stellen. Auch hier gibt es verschiedene Angebote, die du sehr gut im Internet vergleichen kannst.

Neben einem Depot kannst du deine Anlage auch in einer sogenannten fondsgebundenen Lebens- oder Rentenversicherung »parken«. Das Parken deiner Anlage in einer Versicherung vereint die Vorzüge einer Versicherungslösung und eines Investmentdepots. Vorzüge sind zum Beispiel die steuerliche Förderung, dazu gehört unter anderem das Halbeinkünfteverfahren ab 62 Jahren. Die Versicherungsindustrie hat sich hier in den letzten Jahren massiv weiterentwickelt und bietet immer öfter kosteneffiziente Lösungen an. Auch hier kannst du dich im Internet informieren und Angebote vergleichen.

Jetzt wirst du dir denken: Und das wars? So einfach soll das gehen mit meinen Wohlstandsanlagen? Ich muss einfach mein Geld in einen oder zwei ETFs stecken und abwarten? Das kann nicht sein – wenn das so einfach wäre, würden es ja schon alle machen. Und die Antwort: Ja, es ist so einfach und viele machen das auch schon – aber nicht wir in Deutschland. Das Geheimnis ist, dass es kein Geheimnis gibt. Ein erfolgreicher Anleger zu sein muss nicht kompliziert sein. Wenn du die paar Faustregeln einhältst, wirst du eine großartige Erfahrung machen. Du wirst sicherlich von Freunden und »Kapitalmarktspezialisten« hören, dass man das an der einen oder anderen Stelle noch optimieren kann. Und sie haben recht. Durchaus kannst du neben den beiden globalen Aktien- und Renten-ETFs noch sogenannte Unterklassen-ETFs deinem Portfolio beimischen oder institutionelle Indexfonds. Vergleichbar ist das mit dem Tuning deines Autos – Optimierung ist immer möglich. Wichtig ist, dass sie in einem gesunden Rahmen passiert und vor allem funktional ist.

Und lass dich nicht von den Menschen verunsichern, die dir erzählen, dass ETFs dummes Zeug sind. Statt ETFs gilt es, die besten Aktien zu kaufen. Nur dann klingelt es in der Kasse – und zwar richtig. Einige werden sogar von ihren Lieblingsaktien sprechen.

Ich spreche von anderen Dingen. Du wirst am Ende als Sieger vom Platz gehen. Es mag sein, dass der eine oder andere irgendwann einmal einen Glückstreffer landen wird. Und das wird dir und anderen imponieren. Erinnere dich immer daran, wie das mit dem Lotto läuft. Du hörst immer nur von den Gewinnern. Wenn dir jemand einmal sein »goldenes« Händchen für Aktien unter die Nase reibt, gratuliere ihm. Und frag im zweiten Schritt nach den Aktien, wo das angepriesene »Händchen« nicht golden war. Du wirst keine Antwort darauf bekommen, auf alle Fälle keine, welche die negative Gesamtbilanz dieser Profis zeigt.

Daher: Meine persönlichen Erfahrungen mit globalen Aktien- und Renten-ETFs sind super. Ich schaue so gut wie nie in mein Depot, weil ich weiß, dass es läuft. Ich muss mir keine Gedanken machen und lasse die Märkte ihren Job machen. Ich spare damit unglaublich viel Lebenszeit, die ich für andere Dinge nutzen kann. Und das Geld, mein Geld, vermehrt sich prächtig.

Lass uns jetzt abschließend zusammen schauen, was einen guten Berater ausmacht. Nicht jeder braucht einen, aber ein guter kann echt helfen.

Kapitel 14

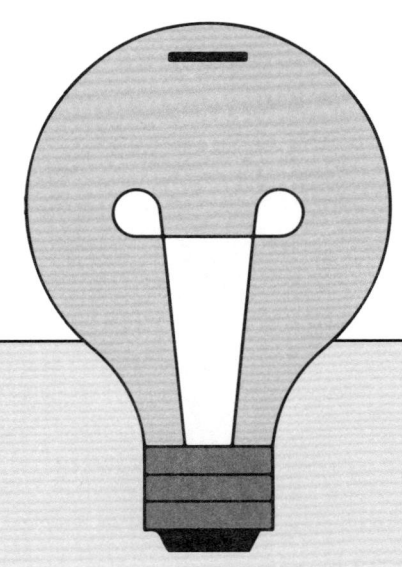

Hol dir Rat

oder wer dir hilft,
wenn du nicht weiterweißt

G enerell bin ich absolut davon überzeugt, dass jeder Mensch die Funktionsweise und positive Kraft von freien Märkten verstehen kann. Dafür braucht es keine besonderen Voraussetzungen. Seit mehr als 25 Jahren arbeite ich in der internationalen Finanzindustrie. Ich habe viel erlebt, noch mehr gesehen und unfassbar viel gelernt. Irgendwann auf diesem Weg habe ich erkannt, wie Menschen und Finanzindustrie seit Jahrzehnten aneinander vorbeireden. Über das große Missverständnis haben wir uns schon unterhalten.

Finanzberater haben keinen guten Ruf in Deutschland. Das hat damit zu tun, dass sich die Finanzindustrie vom Dienstleister für Menschen hin zu einer stumpfsinnigen Produktverkaufsmaschinerie entwickelt hat. Mit den Produkten wurde Geld verdient, nicht mehr mit der Dienstleistung. Es gab viele Skandale. Es wurden unter anderem Produkte verkauft, die man so komplex gemacht hatte, um das Maximale an Gebühren verdienen zu können. In Folge sorgte das bei vielen Anlegern für Enttäuschungen.

Unterschieden werden muss grundsätzlich zwischen dem Finanzberater, der direkt mit dem Kunden in Kontakt ist, und der Organisation, für die er arbeitet. Die Finanzindustrie ist eine zentralistisch organisierte Industrie. Die Finanzberater, die im Kontakt mit dem Kunden sind und das Geschäft machen, haben in den Organisationen nur sehr wenig zu sagen. Der Weg wird von zentralen Abteilungen vorgegeben, die in den meisten Fällen noch nie mit Kunden gearbeitet haben. Entscheidungen basieren auf PowerPoint- und Excel-Strategien, die zwischen Theorie und Realität keinen Unterschied machen. Das führt immer wieder zu großem Erstaunen, wenn die Realität nicht so will, wie man es sich in den Besprechungszimmern ausgedacht hat. Kritische

Rückfragen sind nicht erwünscht. Es soll das verkauft werden, was sich die Zentralen ausgedacht haben. Die Geschäftspläne und die finanziellen Ziele des Unternehmens müssen erfüllt werden. Profit ist hier das Ziel. Profit ist aber kein Ziel, sondern das Resultat, das sich von selbst einstellt, wenn man alles richtig gemacht hat und insbesondere die Interessen der Kunden und der Mitarbeiter gut bedenkt. Stumpfsinniger Produktverkauf war für Finanzberater noch nie angemessen. Es geht darum, seinen Kunden und ihren Familien ein schönes Leben zu ermöglichen. Die Menschen sollen die Möglichkeit haben, etwas zu erschaffen, und ihren Teil dazu beizutragen, die Welt zu einem besseren Ort zu machen. Diese Rolle ist für Finanzberater angemessen! Und dann funktioniert das auch mit dem nachhaltigen wirtschaftlichen Erfolg. Und das ist nicht nur meine romantische Vorstellung.

Wie in jeder Industrie gibt es auch hier schlechte Berater. Berater, die kein Interesse am Kunden haben. Aber der Großteil der Berater meint es ehrlich und will genau die Rolle erfüllen, die ich gerade beschrieben habe. Doch es ist ihnen in der Branche, wie sie heute noch tickt, nur schwer möglich.

So wie wir gemeinsam eine neue Perspektive auf Kapitalmärkte entwickelt haben, können wir auch eine neue Perspektive auf Finanzberater entwickeln. Dabei ist sicher auch die Frage erlaubt, ob es denn wirklich Berater braucht, wenn das mit den freien Märkten so einfach ist. Vielleicht geht dir diese Frage gerade im Kopf herum und ich finde, man braucht sie noch, und zwar Experten, die wie ich den Menschen in den Mittelpunkt aller Aktivitäten stellen. Ein guter und unabhängiger Finanzberater kann für jeden Einzelnen und ganze Familien ein lebenslanger und wichtiger Begleiter sein. Doch beide Seiten müssen sich sowohl über ihre Rolle wie auch ihre Intention im Klaren sein.

Dieses Rollenverständnis ist elementar. Ein idealer Finanzberater vermehrt deinen Wohlstand, indem er dir hilft, zwischen Investieren und Spekulieren zu unterscheiden. Ein idealer Finanzberater wird alles daransetzen, dich vor Anlagedummheiten zu schützen. Es wird immer verlockende Angebote geben, selbst wenn wir es schaffen, die Finanzindustrie durch unser aktives Mitgestalten zu revolutionieren. Doch auch dann werden immer noch Produkte auf dem Markt existieren, die dir unrealistische Renditen versprechen. Die nicht in der Lage sind, zu erklären, wie das eigentlich funktionieren soll. Presse, Nachbarn und Freunde werden dir von unglaublich großartigen, heißen Anlageformen berichten und wie sie selbst damit über Nacht quasi reich geworden sind. An dieser Stelle solltest du aufhorchen, denn in der Regel sind das nur Luftschlösser. Erinnere dich daran, dass beim Lotto immer nur über den Gewinner des Jackpots berichtet wird. Von denen, die verloren haben, wird man nichts hören.

Gute Finanzberater begleiten dich ein Leben lang und sind jeden Euro wert. Erinnere dich an das Beispiel der Piloten des Air-France-Fluges. Daher lass uns festhalten: Es gibt sie, die guten Berater. Menschen, die für Menschen arbeiten, im Sinne des Kunden denken und das tun, was auf ihren Visitenkarten steht. Sie beraten. Sie geben Tipps, zeigen Alternativen auf und erfragen gezielt, was ihr Gegenüber für eine Lösung benötigt oder wo der Schuh drückt. Sie sind interessiert und ziehen nicht ihr vorgegebenes Standardprogramm durch. Ein guter Berater drängt dich nicht zum Abschluss. »Das Angebot gilt nur noch heute!« ist einer der Sätze, der einen schlechten Berater entlarvt. Auch sind hohe Renditen ohne Risiko ein Versprechen, das kein Mensch halten kann.

Einen guten Berater gefunden zu haben ist wertvoll. Ein idealer Berater gibt dir Orientierung. Und das ist wichtig, gerade wenn du als Neueinsteiger in die Welt AG investieren willst. Natürlich kannst du es auch auf eigene Faust versuchen. »Learning by doing« hat schon große Meister hervorgebracht. Doch wenn du unsicher sein solltest, kann dich ein guter Berater begleiten.

Ein guter Berater hilft dir dabei, dein Geld so zu investieren, dass es für dich arbeitet. Er erklärt und zeigt auf, was möglich ist. Er ist Begleiter und Coach, immer an deiner Seite oder noch besser stärkt er dir den Rücken. Er gibt dir Sicherheit. Wie dein Arzt stellt er fundierte Diagnosen und verschreibt dir entsprechende Produkte. Nicht einfach so, sondern die, die deine Situation verbessern. Er nutzt seinen erlernten Wissensvorsprung, um dir ein gesundes und glückliches Leben zu ermöglichen.

Es hat sich leider eingebürgert, dass wir in Deutschland nicht bereit sind, für Finanzberatung zu bezahlen. Das sei auch einmal gesagt.

Doch im Grunde entlohnen wir die Akteure hochkarätig. Nur bekommen wir keine Rechnung für eine Beratungsdienstleistung präsentiert, wir bezahlen einfach durch Gebühren, Ausgabeaufschlägen und anderen Kosten, die uns zum Teil gar nicht bewusst sind. Kannst du dich noch an die Werbung für Billigflüge erinnern, die einen guten Flug innerhalb Europas schon für einen Euro offerierten? Hier gab es im Jahr 2008 vom Europaparlament einen auf den Deckel. Irreführende Lock-Angebote für Flugtickets wurden verboten und eine klare Transparenz wurde Pflicht. Seitdem muss jede Airline den Endpreis ausweisen und nicht den reinen Flugpreis. Und in dem sind Steuern, Kreditkartengebühren, Gepäckkosten und andere Abgaben enthalten. Im Gegensatz zur Finanzindustrie werden bei den Airlines heute alle Details eines Flugpreises ausgewiesen, und das gut sichtbar. Bei vielen Finanzprodukten hingegen werden diverse Kosten noch gut im Kleingedruckten versteckt.

Gute Beratung kostet Geld. Auch die, bei denen du mit Blick auf deine Finanzen begleitet wirst. Wichtig ist, dass die Kosten transparent und für dich nachvollziehbar sind.

Mein Buch ist ein Anfang, es ist Weckruf. Es ist der Wunsch, dass wir als Menschen aufhören, unser Geld an falscher Stelle zu investieren. Es ist ein Pamphlet, das dich in die Pflicht nimmt. Mein Wissen, meine Erlebnisse zusammengefasst aber sind nicht der Weisheit letzter Schluss. Es braucht eine gewisse Nachbereitung. Es braucht einen Anfang. Es braucht dich und deinen Willen. Und eben idealerweise in bestimmten Situationen jemanden, der dich auf dem Weg begleitet.

In deinem ersten Gespräch mit einem Berater ist es wichtig, dass du nach deinen »Warums« gefragt wirst. Eben das, was wir schon angesprochen haben. Der Berater muss genau wissen, was dich dazu bewegt, dein Geld auf den freien Märkten zu platzieren. Nur so kann er am Ende die optimale Strategie für dich entwickeln und dir detailliert erklären, wie dein Geld in der freien Marktwirtschaft arbeiten wird. Wenn du Dinge nicht verstehst, musst du sofort nachfragen. Ein guter Berater kommt zudem ohne viele Fremdwörter aus und versteht es, Dinge in einfachen und verständlichen Worten zu erklären.

Ein guter Berater öffnet dir das Tor zu den freien Märkten und lässt dich auch danach nicht allein. Das ist der Unterschied zu einem schlechten Berater. Der öffnet dir Tor und Tür gleichzeitig, doch sobald er sein Produkt an den Mann – in diesem Fall an dich – gebracht hat, wirst du nicht mehr viel von ihm hören. Was mit deinem Geld passiert, ist dem schlechten Berater egal. Er hat seinen Deal gemacht. Ein guter Berater managt nicht dein Geld, er managt dich, und das über den ganzen Lebens- und Anlagezeitraum. Er liefert dir eine Orientierung, kann aber natürlich wie alle Menschen die Entwicklung der freien Märkte nicht voraussagen. Daher darfst du das von ihm auch nicht erwarten. Es ist ebenfalls seine Aufgabe, dich in marktschwachen Momenten davon abzuhalten, kurzfristige Entscheidungen zu treffen, die für dich langfristig Verluste bedeuten. Wie gesagt: Der Markt hat mehr Aufschwünge als Abschwünge, aber es gibt auch weniger starke Zeiten. Das ist es, was du niemals vergessen darfst und fest in deinem Bewusstsein verankern solltest. Marktschwankungen sind wie Turbulenzen beim Fliegen. Turbulenzen sind aber für die Passagiere moderner Flugzeuge mit einer gut ausgebildeten Crew keine Gefahr. Trotzdem kommt es immer wieder zu Verletzungen bei Passagieren, wenn Flugzeuge durch Turbulenzen fliegen. Zu den Verletzungen kommt es, weil diese Passagiere trotz Empfehlung durch die Crew nicht angeschnallt waren. Marktschwankungen sind wie Turbulenzen. Deine Welt AG mit Tausenden von verschiedenen Unternehmen sind dein Sicherheitsgurt und dein Berater ist die »Crew«, die darauf achtet, dass du immer angeschnallt bleibst.

Kapitel 15

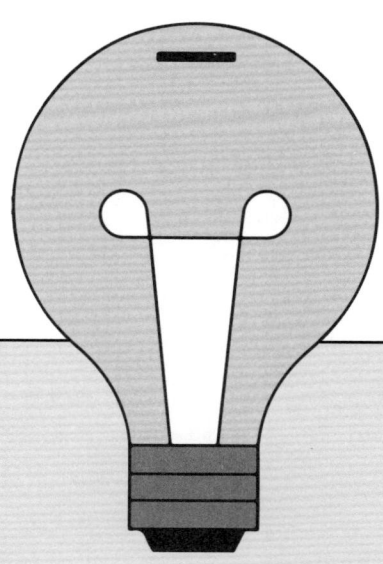

30plusX

oder warum Märkte
für Menschen da sind

Wie ich am Anfang des Buches erwähnte, habe ich Anfang 2020 das Unternehmen »30plusX« gegründet. Gemeinsam mit zwei Partnern, die ebenfalls an meine Mission glauben. Unser Ziel: Bis zum Jahr 2035 wollen wir die Aktionärsquote in Deutschland auf 30 Prozent und mehr steigern. Das »X« im Namen beschreibt das »mehr«. Es steht zeitgleich jedoch auch für den »X-Faktor« mit dem dies gelingen soll.

Das Corona-Virus hat einmal mehr gezeigt, dass es nicht möglich ist, die Entwicklung von Kapitalmärkten zu prognostizieren. Immer wieder lassen sich jedoch Anleger verführen. Sie setzen auf Anlagestrategien, die unfassbare Versprechen geben. Wie in allen Krisen wird sich auch diesmal zeigen, dass eine Menge der angepriesenen Strategien nichts anderes als Trümmerfelder hinterlassen haben. Diese Trümmerfelder begraben das Geld, das eigentlich nach der Krise gebraucht wird – die Notreserve, die uns überleben lässt. Covid-19 hat sichtbar gemacht, dass viele Menschen und Unternehmen keine Rücklagen aufgebaut haben. Falsche Anlagestrategien und keine Rücklagen können in Zeiten wie diesen existenzbedrohend sein. Doch sehen wir das Positive, denn Krisen wie diese können helfen, neue Sichtweisen und Perspektiven zu entwickeln und somit alte Fehler künftig zu vermeiden.

Aktuell investieren verhältnismäßig wenig Menschen in Deutschland ihr Geld in Aktien oder Fonds. Laut dem Deutschen Aktieninstitut (DAI) besaßen im Jahr 2018 rund 10,3 Millionen Bürger in Deutschland, die älter als 14 Jahre sind, Anteilscheine von Unternehmen oder Aktienfonds. Das ist zwar der höchste Stand seit dem Jahr 2007. Dennoch bleibt Deutschland mit einer Aktionärsquote von gut

16 Prozent weit hinter anderen Industrieländern zurück. In den USA beispielsweise wird die Altersvorsorge über den Kapitalmarkt vom Staat stark gefördert, was zu einer Quote von mehr als 50 Prozent führt. Was bedeuten diese 16 Prozent nun für uns ganz konkret? Ich bin davon überzeugt, dass Millionen von Menschen in Deutschland über einen viel größeren finanziellen Spielraum verfügen könnten und verfügen sollten. Ob das Geld dabei für Konsum, Ausbildung oder den wohlverdienten Ruhestand genutzt wird, sei jedem selbst überlassen. Mehr Geld bedeutet schlichtweg: Der Mensch hat mehr Möglichkeiten und der Lebensstandard wird angehoben. Doch seit Jahrzehnten verzichten die Menschen darauf, ihr Angespartes produktiv arbeiten zu lassen. Sie lassen sich, ohne sich dessen bewusst zu sein, die Butter vom Brot nehmen.

Die Mission von »30plusX« ist, den Menschen ein neues Verständnis für Kapitalmärkte zu ermöglichen. Sein Geld für sich arbeiten zu lassen, Rücklagen aufzubauen und ein Leben voll von Liebe, Erfüllung und Freiheit zu leben, darum geht es. Der Mensch im Fokus aller Überlegungen, der Einzelne als Individuum. Märkte sind für Menschen da!

— Christoph R. Kanzler —

Die Bibel gab es über viele Jahrhunderte nur auf Lateinisch, eine Sprache, die nur ein Bruchteil der Bevölkerung sprach. Es war also für den größten Teil der Menschen nicht möglich, selbst in der Bibel zu lesen. In den Augen derer, die es konnten, bestand auch kein großer Wunsch, das zu ändern. Es erlaubte der Kirche, unter anderem die wirtschaftlichen Interessen des Ablasshandels zu verschleiern. Erst Martin Luther lieferte den Menschen eine Übersetzung. Danach war die Welt eine andere. Die Menschen begannen, die Bibel zu lesen, und lernten, ihren Inhalt selbst zu beurteilen.

Aufgrund der künstlichen Komplexität sind auch Kapitalmärkte für die Menschen ein Buch mit sieben Siegeln. Das hält die Menschen davon ab, sich dem Ganzen mit ihrem gesunden Menschenverstand zu nähern. Würden sie dies jedoch endlich mal tun, würden sie sehr schnell verstehen, dass es einfacher ist, als man bisher geglaubt hat. Und dass die wertschöpfende Kraft von freien Märkten allen Menschen zur Verfügung steht.

30plusX will die Menschen für diese Erfolgsgeschichte begeistern. Ändern sich das Verständnis und die Perspektive der deutschen Bevölkerung auf Kapitalmärkte, ändert sich die Art und Weise, wie sie ihr Geld anlegen. Der Fokus von 30plusX ist einfach: Wir erklären den Menschen, welchen Anteil sie an der Erfolgsgeschichte der Menschheit haben. Wir tun das nicht belehrend, sondern lehrend. In einer Sprache, die jeder versteht. Und hier kommt der »X-Faktor« ins Spiel. Der »X- Faktor« ist das Wissen. Das Wissen, das allen Menschen eine neue Perspektive auf Kapitalmärkte gibt.

Die Finanzbildung in Deutschland ist im Verhältnis zu anderen Ländern unterdurchschnittlich. Wir haben hier eine Menge nachzuholen. Das Vermitteln von Wissen zum neuen Denken und Optimismus ist die unternehmerische Aufgabe von »30plusX«. Unser Ziel ist, Deutschland zu einem besseren Platz für Anleger zu machen. Wir sind überzeugt, dass Märkte für alle Menschen da sind. Gerade im »Jetzt« brauchen die Menschen nichts mehr als eine gehörige Portion Optimismus und das Wissen, dass auch sie von der größten Erfolgsgeschichte der Menschen profitieren können.

Wir geben das notwendige Wissen zu Kapitalmärkten an jeden weiter, damit jeder davon profitieren kann. Ab Anfang 2021 bietet »30plusX« Masterclass-Seminare an. »Die Schule der Märkte« richtet sich dabei an Endkunden wie auch Finanzberater. Die Seminare sind online wie auch als Präsenzseminare buchbar. Es gibt Kurse für Einsteiger und Fortgeschrittene.

Finanzberater, die sich der Zielsetzung »30plusX« anschließen möchten, können sich über die B2B-Masterclass-Seminare als »30plusX Berater« zertifizieren lassen. Die Inhalte der Masterclass-Seminare folgen dem sogenannten Hammurabi-Codex. Dieser wurde im 18. Jahrhundert von König Hammurabi verfasst und in eine Stele eingemeißelt, die sich heute im Louvre bestaunen lässt: »Wenn ein Baumeister ein Haus baut und das Haus bricht später zusammen und verursacht den Tod des Hausbesitzers, ist der Baumeister hinzurichten.« Dieser Satz beschreibt die Verantwortung, die wir gegenüber unseren Teilnehmern, aber auch der Gesellschaft als Ganzes haben.

Wir wollen:

- *weg von Produkten hin zu Menschen.*
- *weg vom Spekulieren hin zum Investieren.*
- *weg von Hoffen hin zum Erwarten.*

Schlusswort

Geld und Märkte sind für Menschen da. Es handelt sich hier um die größte Erfolgsgeschichte der Menschheit. Jeder sollte davon profitieren. Es ist die Zeit gekommen, wir müssen aufwachen. Doch gesellschaftliche Veränderungen beginnen immer im Kleinen. Wenige können dabei Großes erreichen. Schon die US-amerikanische Anthropologin und Ethnologin Margaret Mead wusste: »Zweifle nie daran, dass eine kleine Gruppe engagierter Menschen die Welt verändern kann – tatsächlich ist dies die einzige Art und Weise, in der die Welt jemals verändert wurde.«

Als Gesellschaft stehen wir großen Herausforderungen gegenüber. Albert Kitzler schreibt in seinem Buch *Weisheit to go.* »Unser Hoffen, Planen und Streben scheinen keine Grenzen zu kennen und ein jähes Erwachen scheint unausweichlich. Unsere Begierden, unsere Bequemlichkeiten und unser Festhalten am lieb gewordenen Wohlstand sind stärker als die Sorge um die Zukunft. Wir wollen uns alles verfügbar und untertan machen und zerstören dabei unsere natürlichen Lebensgrundlagen. Immer noch glauben wir, unseren Wohlstand ohne Einschränkungen halten und die Natur bewahren zu können.« Wir werden immer mehr auf diesem Planeten und Ressourcen stehen nicht unbegrenzt zur Verfügung. Wir werden immer älter, was wunderbar ist. Diese demografischen Veränderungen machen es notwendig, neue Wege zu gehen, wie sich die Gesellschaft finanziert. Gerade das Rentensystem stammt noch aus einer anderen Zeit und kann den neuen Anforderungen nicht mehr gerecht werden. Die industrielle Revolution hat die Gesellschaft in neue Dimensionen katapultiert und das Leben verändert. Die industrielle Revolution hat Erfolg neu definiert. Es braucht jetzt die nächste Revolution, um uns als Menschheit auf das nächste Level zu bringen. Ein Level, auf dem Antworten und Lösungen auf die gesellschaftlichen Fragestellungen entwickelt werden und damit das Überleben der nächsten Generationen gesichert wird. Es braucht neue Definitionen von wirtschaftlichem und gesellschaftlichem Erfolg. Und es braucht eine Rückkehr zum Machen und Tun und zur Dankbarkeit. Wohlstand wird durch Einsatz, Arbeit und Leidenschaft erreicht. Die Quelle der Kraft freier Märkte ist unermüdlicher Trial und Error von Unternehmern.

Ich hoffe, dass mein Buch dir die Notwendigkeit aufgezeigt hat, dass es nun an dir ist, zu handeln. Dass du es bist, der Wohlstand verdient hat, jetzt und im späteren Alter erst recht. Dass du es bist, der diesen Wohlstand produziert, und daher endlich damit beginnen sollte, dir auch deinen Teil daran zu sichern.

Wie du in der Zukunft leben wirst, hängt stark davon ab,
welche finanziellen Entscheidungen du heute triffst.

— *Christoph R. Kanzler* —

Leseempfehlungen

Das kleine Handbuch des vernünftigen Investierens. An der Börse endlich sichere Gewinne erzielen, John C. Bogle, erschienen im Finanzbuch Verlag

John C. Bogle ist der Held der Privatinvestoren, hat er doch die Exchange Traded Funds (ETFs) erfunden. Zehntausende Anleger haben weltweit von ihm gelernt, von der wertschöpfenden Kraft freier Märkte zu profitieren. In seinem Investment-Handbuch fasst Bogle kompakt zusammen, was jeder kluge Investor wissen muss, wenn es um die Anlage in ETFs geht.

Dabei zeigt er auf, wie sich mit wenig Aufwand und geringen Kosten eine stabile und vor allem langfristige Rendite erwirtschaften lässt. Parallel hat er es sich mit diesem Buch zur Aufgabe gemacht, den Menschen die Angst vor der Geldanlage zu nehmen. Ich selbst habe das Buch schon mehrere Male gelesen und bin immer wieder begeistert, wie er das Wichtigste rund um ETFs unkompliziert beschreibt und das Relevante sowie Notwendige auf den Punkt bringt.

Souverän Investieren für Einsteiger. Wie Sie mit ETFs ein Vermögen bilden, Dr. Gerd Kommer, erschienen im Campus Verlag

Das perfekte Buch für jeden, der sich zum ersten Mal mit dem Thema ETFs beschäftigt und ernsthaft darüber nachdenkt, seine finanzielle Vorsorge endlich selbst in die Hand zu nehmen. Kommer beschreibt perfekt die Grundprinzipien des Investierens und wie sich damit langfristig ohne weiteres Zutun des Einzelnen das eigene Geld vermehrt.

Seine Zielgruppe sind Privatanleger, die nicht mehr darauf vertrauen, dass die Rente schon reichen wird. Der Leser erfährt außerdem die Geschichte der ETFs und warum diese für ganz viele von uns einfach die idealen Anlageinstrumente sind. Zahlreiches Datenmaterial untermauert seine Erklärungen und dir als Leser wird klar, dass es sich wirklich nicht um eine Modeerscheinung handelt.

Die Buy-and-Hold-Bibel. Was Anleger für langfristigen Erfolg wissen müssen, Dr. Gerd Kommer, erschienen im Campus Verlag

Fakten, Fakten, Fakten – Kommer gehört wirklich zu den besten Finanzexperten, die wir haben. Er motiviert die Anleger zum klugen Warten und warnt davor, ständig den neusten Trends hinterherzujagen. Langfristige Anlagestrategien sieht er als Grundlage für ein finanziell gut abgesichertes Leben. Er spricht dabei vom sinnlosen Aktionismus, der auf dem Börsenparkett und in der Finanzbranche leider gang und gäbe ist.

Auch wenn alles sehr faktenorientiert ist, ist es ein Buch für Praktiker. Das Buch räumt mit dem Mythos auf, dass der Fondsmanager für den Anleger Renditen erwirtschaftet. Es zeigt auf, dass es keinen Fondsmanager braucht, sondern nur das Wissen und die Disziplin, investiert zu bleiben – auch in unruhigen Zeiten. Das Buch wird von vielen auch als Sargnagel für das traditionelle Anlagemanagement bezeichnet.

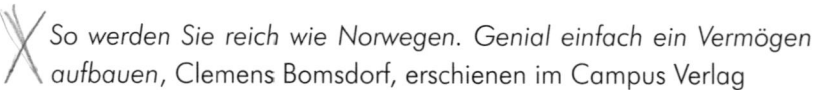

So werden Sie reich wie Norwegen. Genial einfach ein Vermögen aufbauen, Clemens Bomsdorf, erschienen im Campus Verlag

Für sein Buch hat Clemens Bomsdorf den Norwegern über die Schulter geschaut und ihre Art von Geldanlage interpretiert. Er erklärt ausführlich, wie der norwegische Ölfonds strukturiert ist und was das Geheimnis seiner unglaublichen Rendite ist. Dieses Wissen hat er auf die Anlagestrategien von Privatanlegern umgemünzt und vermittelt mit seinem Buch, wie auch Privatpersonen ihr Geld so gewinnbringend investieren können, wie es die Norweger tun. Bomsdorf hat dafür vier Leitlinien definiert, denen sich Schritt für Schritt folgen lässt. Für mich eine hervorragende Lektüre und eine spannende noch dazu. Der Autor hat lange Zeit in Skandinavien gelebt und seine Einblicke in eine andere Kultur des Anlegens sind grandios.

Das kalte Herz: Kapitalismus: Die Geschichte einer andauernden Revolution, Werner Plumpe, erschienen im Rowohlt Verlag

Das Buch erklärt sehr gut, wie sich der Kapitalismus seit rund 500 Jahren durchgesetzt hat. Und das aus einer Perspektive, die neu und innovativ ist. Der Wirtschaftshistoriker Plumpe verdeutlicht, dass der Kapitalismus den Menschen viele Vorteile gebracht hat. Denn es war und ist die Kraft der freien Märkte, die für den Wohlstand verantwortlich waren und weiterhin sind. Plumpe beschreibt, wie planwirtschaftliche Gesellschaften in der Vergangenheit gescheitert sind. Und ja, Massenproduktion und Arbeitsteilung gehen sicher auch mit negativen Aspekten einher. Aber auf der anderen Seite machen sie es möglich, dass auch die ärmeren Menschen konsumieren können. Für mich ein Buch frei von ideologischen Weltbildern. Ein Werk, das einlädt, beide Seiten des Kapitalismus zu betrachten und sich bewusst mit den Nach- aber vor allem auch Vorteilen auseinanderzusetzen.

Factfulness. Wie wir lernen, die Welt so zu sehen, wie sie wirklich ist, Hans Rosling, erschienen im Ullstein Verlag

Panikmache und Fake News, einseitige Medienberichterstattung und Politiker, die von den schlimmen Gefahren predigen, die auf uns zurollen. Die Welt ist nicht das, was wir von ihr denken. Aber der Mensch neigt dazu, den negativen Dingen mehr Aufmerksamkeit zu schenken und ihnen vor allem mehr Gewicht zu geben. Es sind dabei unsere Instinkte, die uns reagieren lassen und unwahren Gegebenheiten Glauben schenken. Rosling zeigt in seinem letzten Buch auf, dass wir endlich wieder mit offenen Augen auf die Welt schauen sollen und das Gute sehen, das sie uns schenkt. Dass wir die negativen Dinge wieder mehr hinterfragen und uns eine eigene Meinung bilden. Anhand von Daten belegt Rosling jeden einzelnen positiven Fakt. Mir ist es nach dem Lesen des Buches unheimlich schwergefallen, Medien überhaupt noch Glauben zu schenken. Und bis heute bin ich bei allen Berichterstattungen kritisch und hole mir in der Regel eine zweite Meinung ein. Rosling hat zudem die fünf größten Risiken für die Menschheit aufgezeigt. Neben dem Dritten Weltkrieg, einem Finanzkollaps, dem Klimawandel und der extremen Armut warnte er schon im Jahr 2017 vor einer globalen Pandemie.

Antifragilität. Anleitung für eine Welt, die wir nicht verstehen, Nassim Nicholas Taleb, erschienen im Albrecht Knaus Verlag

Wir leben in einer unsicheren Welt. Nichts lässt sich wirklich vorhersagen und niemand weiß, was ihm morgen passieren wird. Und doch gibt es Branchen, in denen wir Menschen dennoch davon ausgehen, dass Zukunftsvorhersagen stimmen. Unter anderem die Finanzbranche. Taleb schreibt in seinem Buch über die Zerbrechlichkeit unseres Systems. Dabei überträgt er seine Erkenntnisse aus der Zukunftsforschung auf alle Bereiche unseres Lebens. Und das sind viele, sodass sein Werk mit fast 700 Seiten aufwartet. Es lohnt sich dennoch, es bis zum Schluss zu lesen. Denn danach ist einem endlich wirklich bewusst, dass alle Entscheidungen für die Zukunft auf Basis von Prognosen getroffen werden. Und man lernt, dass wir Zufälle und die Unwissenheit nicht mehr fürchten müssen, sondern sie zu Stärken in unserem Leben machen können. Ein Buch, das mich persönlich aufgerüttelt hat.

Ihre Finanzen fest im Griff: Erfolgreiche Geldanlage und Vorsorge in der Nullzins-Welt, Prof. Hartmut Walz, erschienen im Haufe Verlag

Erfolgreiche Geldanlage in Zeiten der Nullzinsen – Walz fasst in seinem Buch verständlich zusammen, wie das funktionieren kann. Er führt auf, mit welchen Herausforderungen wir Menschen in Sachen Finanzen heute konfrontiert werden. Gerade als Privatanleger ist man den Experten ausgeliefert. Dabei ist die Finanzwelt gar nicht so schwer zu verstehen, wie uns die Akteure oft glauben machen wollen. Dieses Buch erklärt die einzelnen Teilbereiche verständlich und nachvollziehbar. Die Ratschläge von Walz entstammen der Praxis und sind keine fadenscheinigen Theorien. Ich mag das Buch und schaue immer mal wieder rein.

Glossar

Aktie

Das Eigentum an einer Aktiengesellschaft ist in Bruchteile unterteilt. Diese werden in Form von Aktien an interessierte Menschen ausgegeben. Jeder Aktionär übernimmt damit jedoch auch Verantwortung. Je nach Nennwert – also Preis der Aktie – haftet er, wenn das Unternehmen in Schieflage gerät. Auf der anderen Seite aber wird er in der entsprechenden Höhe am Erfolg (Gewinn) beteiligt. Im Rahmen der Haupt-versammlung hat ein Aktionär die Möglichkeit, unter anderem über die Gewinnverwendung zu entscheiden.

Anleihe

Eine Anleihe ist eine Möglichkeit für Unternehmen, Länder oder Staaten, zusätzliches Kapital einzusammeln. Anleihen garantieren den Käufern die komplette Rückzahlung des Nennwerts, also der Kaufsumme. Parallel wird dem Käufer ein fester Zinssatz zugesagt. Der Verkauf von Anleihen macht den Verkäufer zum »Schuldner«. Der Käufer wird zum »Gläubiger«. Dieser hat ein sogenanntes **Forderungsrecht gegenüber dem Schuldner**. Als Gläubiger erhält man auf der einen Seite eine Urkunde, in dem die Höhe der Anleihe vermerkt ist: den Mantel. Auf der anderen Seite erhält er eine feste Anzahl an Coupons. Das sind sogenannte Dividendenscheine. Reicht der Gläubiger sie ein, bekommt er seine Dividende ausgezahlt. Ist die festgelegte Laufzeit der Anleihe beendet, kann sich der Anleger sein Geld wieder auszahlen lassen oder er entscheidet, das Geld in dem Unternehmen, beim Staat oder Land zu belassen und weiter Dividenden zu kassieren.

Aktionär

Inhaber von Aktien einer Aktiengesellschaft (AG) und somit Miteigentümer an einem Unternehmen. Die Aktien einer Aktiengesellschaft werden an der Börse gehandelt und können dort von Anlegern ge- und verkauft werden.

Anleger

Der Anleger wird auch Kapitalanleger, Kapitalgeber oder Investor genannt. Er ist eine Person, die auf dem Finanzmarkt ein Produkt erwirbt. Immer mit dem Zweck, langfristig sein Vermögen zu vermehren.

Anlegerrendite

Bei der Anlegerendite handelt es sich um die Summe, die ein Anleger pro Jahr mit seinen Anlagen verdient. Wichtig zu wissen: Die Anlegerrendite ist in der Regel niedriger als die tatsächlich erwirtschaftete, also die Marktrendite. Für diese Differenz sind Kosten für das Anlagedepot und das individuelle Anlageverhalten verantwortlich.

Aktienindex

Ein Aktienindex ist eine Kennzahl, die den Kursverlauf von Aktien anzeigt. Dieser wird täglich von Börsen, Banken, Beratungsfirmen, der Wirtschaftspresse oder anderen Finanzexperten berechnet, aktualisiert und publiziert.

Anlageprodukt

Ein Anlageprodukt ist ein künstlich von den Akteuren der Finanzbranche geschaffenes Produkt, das Menschen die Möglichkeit gibt, ihr Geld zu investieren. Es wird auch von Finanzanlage, Finanzinstrument oder Anlageprodukt gesprochen.

Anlageklasse

Einteilung des Kapitalmarktes in verschiedene Klassen oder Segmente. Grundlegend für die Zuordnung zu einer Anlageklasse ist, dass die Risikoeinflussfaktoren des jeweiligen Produkts sich ähneln. Zu den wichtigsten Anlageklassen gehören Aktien, Renten, Immobilien, Edelmetalle und Rohstoffe. Diese können beispielsweise nach Staaten weiter unterteilt werden. Bei Investmentfonds beschreiben Anlageklassen die sogenannte Anlagepolitik eines Fonds.

Asset Allocation

Die Asset Allocation beschreibt die Aufteilung des Vermögens eines Anlegers. Sie gibt einen Überblick in welche Anlageklassen er investiert hat. Sie ist eine Zusammenfassung seines Depots – also aller Investitionen, die er auf dem Kapitalmarkt getätigt hat.

Börse

Der Begriff Börse bezeichnet einen Markt, an dem zu festgelegten Zeiten bestimmte austauschbare Güter wie beispielsweise Waren, Wertpapiere, Edelmetalle und Devisen gehandelt werden. In Deutschland ist die bekannteste Börse die Frankfurter Wertpapierbörse.

Börsenrally

Finanzexperten sprechen von einer Börsenrally, wenn sich an der Börse stark steigende Aktienkurse auf breiter Front zeigen.

Börsencrash

Bei einem Börsencrash (veraltet: Börsenkrach) fallen die Kurse von zahlreichen Aktien innerhalb einer kurzen Zeitspanne – und zwar ins Bodenlose.

Bond

Der englische Ausdruck für festverzinsliche Wertpapiere. In Deutschland nennen wir sie Anleihen.

Buy-and-Hold

»Kaufen und Halten«, dieser englische Begriff wird benutzt, wenn jemand plant, Wertpapiere sehr lange in seinem Depot oder Portfolio zu halten. Dieser langfristig orientierte Anleger lässt sich auch durch kurzfristige Kursschwankungen nicht dazu bewegen, schnell zu kaufen oder zu verkaufen. Eine simple Anlagestrategie mit guten Erfolgsaussichten.

DAX

Die Abkürzung »DAX« steht für »Deutscher Aktien Index«. Er beschreibt die Wertentwicklung der 30 größten und umsatzstärksten deutschen Aktien, die an der Frankfurter Wertpapierbörse gehandelt werden.

Depot

Wie der Name schon sagt, handelt es sich um eine Art Sammelstelle. In diesem Fall um den Ort, an dem alle Wertpapiere und Wertgegenstände einer Person aufbewahrt werden. Dies passiert in der Regel in einer Wertpapiersammelbank oder eben Depotbank.

Depotbank

Bank, bei der ein Anleger seine Wertpapiere verwahrt.

Dividende

Damit ist die vom jeweiligen Unternehmensgewinn abhängige Zahlung einer Aktiengesellschaft an ihre Aktionäre gemeint. Die Höhe einer Dividende wird jährlich von der Hauptversammlung einer Aktiengesellschaft – an der jeder Aktionär teilnehmen kann – beschlossen. Je nach Situation innerhalb des Unternehmens und der allgemeinen Lage kann die Versammlung festlegen, die Ausschüttung zu verringern und den Rest des Geldes in die AG zu stecken. Angegeben wird die Dividende als Euro-Betrag oder als prozentualer Anteil am Unternehmensgewinn.

Diversifikation

Mit »Diversifikation« ist die Aufteilung des Kapitals einer Person auf mehrere Anlageklassen gemeint. Diese sollten möglichst unabhängig voneinander sein. Der Grund: In der Regel werden sich (auch in Krisenzeiten) zwei verschiedene Anlageklassen niemals genau gleich entwickeln. Das Risiko wird optimal gestreut, Verluste werden verhindert. Oder anders: Das Vermögen wird auf verschiedene Anlageklassen verteilt, damit das Minus in der einen Klasse durch das Plus in der anderen wettgemacht wird.

ETF

Der Begriff »Exchange Traded Fund«, kurz ETF, bedeutet übersetzt »an der Börse gehandelter Fonds«. Im Gegensatz zu herkömmlichen Aktienfonds handelt es sich bei ETFs um Fonds, die wie börsennotierte Aktien auf einfache und effiziente Weise während der gesamten Börsenöffnungszeit handelbar sind. Der ETF ist rechtlich ein Fonds, bei dem die darin investierten Anlegergelder getrennt in einem Sondervermögen verwaltet werden und daher vor einer möglichen Insolvenz geschützt sind. Dabei gibt es verschiedene Arten von ETFs:

1. Globaler Aktien-ETF: Ein Exchange Traded Fund, der in ein weltweit gestreutes Aktienportfolio investiert.
2. Globaler Renten-ETF: Ein Exchange Traded Fund, der in ein weltweit gestreutes Portfolio von Anleihen (Renten) investiert.
3. Unteranlageklasse ETF: Aktien und Anleihen werden als Hauptanlageklassen bezeichnet. Diese haben Unteranlageklassen. Unteranlageklassen bei Aktien sind zum Beispiel kleinere Unternehmen (Small Caps), Substanzunternehmen (Value) oder Wachstumsunternehmen (Growth). Bei Anleihen sind es beispielsweise Anleihen mit geringerer Sicherheit und unterschiedlichen Laufzeiten.

Erwartete Rendite

Erwartet bedeutet nicht garantiert. Daher ist die erwartete Rendite eine Summe, die je nach Anlageklasse auf Basis historischer Daten definiert wird. Da zukünftige Renditen nicht vorhergesagt werden können, sind diese Auswertungen der Vergangenheit eine Art Mittelwert. Doch in welchem Zeitraum sich welche Renditen ergeben, ist weiterhin Zufall. Dazu ist es bei der zu erwartenden Rendite unbedingt notwendig, dass ausreichend historische Datensätze zur Verfügung stehen, wobei in der Regel Daten aus den letzten 25 Jahren gemeint sind.

Freie Marktwirtschaft

Die freie Marktwirtschaft ist eine Wirtschaftsordnung. Sie basiert auf den Ideen des klassischen Liberalismus. Sie gewährt jedem Einzelnen volle Selbstverantwortung und wirtschaftliche Entscheidungs- und Handlungsfreiheit. Der Staat hat lediglich die Aufgabe, Schutz, Sicher-

heit und Eigentum der Bürger zu garantieren. Er muss ein Zahlungsmittel bereitstellen und das Rechtssystem erhalten («Nachtwächter-
staat«).

Der Staat übt ansonsten keinen Einfluss auf die Wirtschaft aus und
überlässt dem Markt die Steuerung. Damit herrscht das Gesetz von
Angebot und Nachfrage. Kennzeichen der freien Marktwirtschaft sind
unter anderem Privateigentum an Produktionsmitteln, freier Wettbewerb, freie Preisbildung, Gewerbefreiheit und Konsumfreiheit.

Finanzmarktkapitalismus

Dem in den 1980er-Jahren entstandenen Finanzkapitalismus geht es
nicht um Waren und Dienstleistungen. Es geht darum, aus Geld mehr
Geld zu machen. Es wird mit dem Geld anderer Menschen spekuliert. Dabei hoffen die Akteure, dass sich die Wetten erfüllen. In Folge
kommt es zu Verlusten und Skandalen wie beispielsweise der Finanzmarktkrise im Jahr 2008.

Fonds

Fonds sind ein von einer Investmentgesellschaft (auch Kapitalverwal-
tungsgesellschaft) verwaltetes Vermögen. In jedem Fonds befinden
sich unterschiedliche Aktien (Aktienfonds) oder Anleihen (Anlei-
henfonds). Jeder Mensch kann Anteile an Fonds erwerben. Er wird so
zum Anteilseigner und partizipiert an den Gewinnen oder Verlusten
des Fonds.

Es gibt zahlreiche verschiedene Fonds, die sich unter anderem durch
die verfolgte Anlagestrategie (z. B. Growth- oder Value-Strategie) und
durch die Ausschüttungspolitik (Geld wird an die Anteilseigner ausgezahlt oder wieder in den Fonds investiert) unterscheiden. Ebenso gibt
es offene oder geschlossene Fonds und auch die Vermögensgegenstän-
de variieren, in die investiert wird (z. B. Aktien, Anleihen, Rohstoffe,
Immobilien). Dazu reihen sich einige andere Fondsformen in das Angebot ein:

1. Mischfonds: Investmentfonds, der nicht nur ausschließlich in Aktien oder Anleihen investiert, sondern diese Anlageklassen kombiniert.

2. Dachfonds: Ein Investmentfonds, der in andere Fonds investiert.

3. Branchenfonds: Ein Investmentfonds, der ausschließlich in Aktien einer Branche investiert, beispielsweise Telekommunikations-, Software- oder Technologiewerte.

4. Hedgefonds: Als Hedgefonds werden Investmentfonds bezeichnet, die keinen Anlagerichtlinien folgen müssen und alle Formen der Kapitalanlage nutzen können. Im Gegensatz zu klassischen Investmentfonds investieren sie zusätzlich zu Aktien und Anleihen noch in Währungen und Rohstoffe sowie Optionen und Futures. Letzteres bedeutet, dass spekuliert wird, was eine Aktie zu einem gewissen Zeitpunkt wert ist. Und zu diesem Wert wird sie bereits im Vorfeld verkauft. Zudem dürfen Hedgefonds Leerverkäufe tätigen, was bedeutet, dass Aktien verkauft werden, die zum Zeitpunkt des Verkaufs noch gar nicht im Besitz des Verkäufers sind. Hedgefonds zeichnen sich durch ein höheres Risiko als normale Investmentfonds aus.

Geldmarkt

Im Gegensatz zum Kapitalmarkt werden auf dem Geldmarkt im engeren Sinne kurzfristige Forderungen (Tagesgeld, Monatsgeld, Devisen, Diskontkredite) zwischen Banken und/oder Notenbanken gehandelt, um kurzfristig Liquidität auszugleichen.

Im weiteren Sinne treffen auf dem Geldmarkt Angebot von und Nachfrage nach Geld zwischen Banken und anderen Marktteilnehmern aufeinander.

Investieren

Beim Investieren geht es darum, langfristiges Eigentum in Form von Aktien an Unternehmen zu erwerben. Unternehmen konzentrieren sich auf die allmähliche Bildung von Substanzwert, der aus der Fähigkeit und dem Willen abgeleitet wird, Güter und Dienstleistungen zu produzieren, die von der Gesellschaft benötigt werden. Unternehmen schaffen wachsenden Wert für unsere Gesellschaft und mehren dadurch ihren Wert und somit das Vermögen des Investors, der jährlich seine Dividenden erhält.

Index

Ein Index – Mehrzahl Indizes – ist eine statistische Maßzahl für die kollektive Wertentwicklung einer Gruppe von Aktien, festverzinslichen Wertpapieren oder anderen Anlagetypen mit gemeinsamen Eigenschaften. Ein Länderindex, wie etwa der deutsche Aktienindex DAX, repräsentiert die Wertentwicklung (gemessen an der Marktkapitalisierung) der 30 größten deutschen Aktiengesellschaften.

Indexanbieter

Indizes werden von Indexanbietern wie der Deutschen Börse, Dow Jones oder STOXX berechnet und veröffentlicht. Beispiele: DAX – Deutsche Börse / Dow Jones Industrial – Dow Jones und EuroStoxx50 – STOXX.

Indexfonds

Investmentfonds, die einen Börsenindex wie den DAX oder Dow Jones möglichst genau abbilden oder besser nachbilden. Dafür wird in die gleichen Wertpapiere investiert, die den Börsenindizes zugrunde liegen. Es benötigt jedoch keinen Fondsmanager im traditionellen Sinne. Unterschieden wird in börsengehandelte Indexfonds, auch Exchange Traded Funds (ETF) genannt und herkömmliche Indexfonds, die nur einmal pro Tag direkt von den Fondsanbietern erworben werden können. Diese sind nicht über die Börse erhältlich.

Kapitalmarkt

Der Markt für mittel- und langfristige Wertpapiere (Wertpapiermarkt). Unterschieden wird dabei in den Anleihe- beziehungsweise Rentenmarkt sowie den Aktienmarkt. Der Anleihemarkt stellt festverzinsliche Wertpapiere zur Verfügung, insbesondere Bankschuldverschreibungen, Anleihen der öffentlichen Hand und Industrieobligationen. Am Aktienmarkt werden Aktien gehandelt. Beide Märkte teilen sich zudem in den Primärmarkt, auf dem neue Wertpapiere angeboten werden, und den Sekundärmarkt, auf dem mit sich im Umlauf befindlichen Wertpapieren gehandelt wird. Die Wertpapiermärkte an den Börsen werden auch als organisierte Kapitalmärkte bezeichnet. Am nicht organisierten Kapitalmarkt werden Darlehen, Beteiligungen,

Hypotheken entweder direkt zwischen Anbietern und Nachfragern gehandelt oder indirekt über Banken (langfristiges Darlehens- und Einlagengeschäft). Den Gegensatz zum Kapitalmarkt bildet der Geldmarkt.

Konsument

Der Konsument, auch Verbraucher genannt, ist der Käufer, Endverbraucher oder Verwender von Gütern und Dienstleistungen. Konsumenten im wirtschaftlichen Sinne können einzelne Personen, Haushalte oder größere Gruppen von Personen sein.

Marktrendite

Bei der Marktrendite handelt es sich um die Rendite, welche auf dem Kapitalmarkt bei großer Verbreitung der Anlagen realisiert wird. Ermittelt wird sie auf Basis von Aktien- und Anleiheindizes, jedoch immer nur rückblickend auf vergangene Entwicklungen.

Performance

Synonym für die Wertentwicklung oder Rendite einer Geldanlage über einen bestimmten Zeitraum. Meist wird zum Vergleich eine sogenannte Benchmark – also eine Vergleichskennzahl – als Referenz genommen, um die Performance im Vergleich zum Gesamtmarkt oder zu Branchen darzustellen.

Produzent

Ein Hersteller von Gütern oder Dienstleistungen.

Produktrendite

Bei der Produktrendite handelt es sich um die Rendite, die ein Anlageprodukt für seine Anleger generiert.

Portfolio

Im Zusammenhang mit Geldanlagen von Privatpersonen steht Portfolio oft als Synonym für das Depot. Also die gesamten Anlagen einer Person. Bei Investmentfonds bezeichnet der Begriff den Wertpapierbestand, bei Immobilienfonds den Bestand an Anlagewerten.

Produktionskapitalismus

Der produktive Kapitalismus erschafft Waren und Dienstleistungen, weil eine freie Gesellschaft diese Waren und Dienstleistungen bedarfsgetrieben nachfragt. Der Mensch ist also über seine Arbeit einmal Teil des Produktionsprozesses und auf der anderen Seite ist er Abnehmer von Waren und Dienstleistungen. Produzent und Konsument – der Produktionskapitalismus ist ein »Menschheits-PLUS-System«. Er kombiniert menschliche Arbeit, Wissen, Rohstoffe und Kapital und erzeugt seit mehr als 400 Jahren enormen Wohlstand. Er ist also mit Abstand die größte Erfolgsgeschichte der Menschheit. Ohne den Produktionskapitalismus würden wir heute noch wie im Mittelalter leben.

Produktivkapital

Das Produktivkapital bezeichnet das für die Herstellung von Gütern und für die Bereitstellung von Dienstleistungen verfügbare Kapital. Die Arbeitskraft der Menschen zählt ebenfalls zum Produktivkapital. Weiter gehören dazu Maschinen und Grundstücke eines Unternehmens. Liquide Geldmittel – also verfügbares Geld – zählt man dagegen zum Finanzkapital. Im Bereich der Geldanlage wird das Investieren in Aktien und Unternehmensanleihen zudem als Anlage ins Produktivkapital bezeichnet.

Rebalancing

Wie der Name verrät geht es um Balance, und zwar im Portfolio eines Anlegers. Es ist die regelmäßige Wiederangleichung des Portfolios an seine ursprüngliche Asset Allocation. Möglich macht das die gezielte Umschichtung (Switch) oder eben Neuverteilung von Kapital zwischen verschiedenen Anlageklassen oder durch entsprechenden Zukauf oder auch Verkauf der unterrepräsentierten oder überrepräsentierten Anlageklasse.

Rendite

Als Rendite bezeichnet man den tatsächlichen Ertrag einer Geldanlage. Sie wird in der Regel jährlich ausgegeben und in Prozent angegeben. Bei der Berechnung der Rendite werden sämtliche Kostenfaktoren berücksichtigt, die mit einer Anlage verbunden sein können. Die Rendite ist, was übrig bleibt, wenn alle Kosten vom tatsächlichen Gewinn abgezogen wurden. Vergleiche Markt- und Produktrendite.

Robo-Advisor

Ein Robo-Advisor ist ein auf Algorithmen gestütztes System, das automatische Empfehlungen zur Vermögensanlage gibt und diese auch umsetzen kann. Die Bezeichnung setzt sich aus den englischen Wörtern »robot« und »advisor« zusammen. Der Robo-Advisor ist ein Produkt zunehmender Digitalisierung in der Finanzbranche.

Sondervermögen

Nach deutschem Recht ist ein Investmentfonds ein Sondervermögen, das von einer Kapitalanlagegesellschaft (KAG) verwaltet und von einer von ihr unabhängigen Depotbank verwahrt wird. In einem Investmentfonds bündelt eine KAG die Gelder vieler Anleger, um sie nach dem Prinzip der Risikomischung in verschiedenen Vermögenswerten gewinnbringend anzulegen. Entscheidend ist, dass die Anlagegelder getrennt von Eigenmitteln der Fondsgesellschaft verwahrt werden und daher im Falle einer Insolvenz der KAG sicher sind.

Spekulieren

Spekulieren ist das Gegenteil von Investieren. Dabei geht es ausschließlich um einen kurzfristigen Handel mit Aktien von Unternehmen, die für diesen Zweck missbraucht werden. Das Hoffen oder eben Spekulieren darauf, dass die Aktien in kürzester Zeit mit einem Aufschlag an den nächsten Aktionär weiterverkauft werden können, steht hier im Vordergrund. Dieses Spiel wird durch Gier getrieben. Entscheidungen, die auf dieser Basis getroffen werden, enden selten glücklich.

Sparpläne

Bei Investmentfonds können Anleger automatisch einen bestimmten Betrag monatlich oder quartalsweise investieren. Dazu richten sie einen Fondssparplan ein und bestimmen das Datum der Abbuchung, die Summe und gegebenenfalls eine Dynamisierung. Sparpläne sind schon ab einer monatlichen Rate von 25 Euro möglich.

Soziale Marktwirtschaft

Deutschlands Wirtschaftsordnung ist die »Soziale Marktwirtschaft«. Sie wurde aus der freien Marktwirtschaft entwickelt. Damit keine zu großen sozialen Ungerechtigkeiten entstehen, greift der Staat durch bestimmte Regeln in die freie Marktwirtschaft ein. Zum Beispiel gibt es Gesetze zum Kündigungsschutz, die verbieten, dass ein Arbeitnehmer von einem Tag auf den anderen entlassen wird. Dies ist wichtig, denn eine solche sofortige Kündigung würde dem Arbeitnehmer in der Regel sehr große Probleme bereiten. Andere Gesetze sollen verhindern, dass sich große Firmen zu sogenannten Kartellen zusammenschließen. So könnten diese Kartelle die Preise ihrer Produkte absprechen und kleinere Betriebe, die nicht mehr mithalten können, in den Ruin treiben. Auch sorgt der Staat dafür, dass bei gefährlichen Arbeiten die Arbeitnehmer vor zu großen Gesundheits- oder Sicherheitsrisiken geschützt werden. Kurz, die Freiheit der Marktwirtschaft wird da eingeschränkt, wo sie unsozial ist, wo sie nur den Starken dient und den weniger Starken schadet. Das Privateigentum wird geschützt, aber wer Eigentum hat, trägt auch Verantwortung für den Umgang mit seinem Eigentum.

Transaktionskosten

Bankgebühren, die beim Kauf und Verkauf von Wertpapieren anfallen.

Welt AG

Die Welt AG ist ein Synonym für eine weltweite Auswahl von rund 8 000 Unternehmen, die an den verschiedenen Börsen der Welt notiert sind.

Wertpapier

Eine Aktie wird ab und zu auch als Wertpapier bezeichnet. Mit Recht. Denn eine Aktie ist ein Wertpapier. Das Wort »Wertpapier« ist ein Oberbegriff für Finanzinstrumente. Es gibt viele Arten von Wertpapieren. Neben Aktien werden zum Beispiel auch Anleihen, Optionsscheine, Zertifikate, Genussscheine und Investmentfonds als Wertpapiere bezeichnet. Es handelt sich dabei um eine Urkunde, die bestimmte Rechte an einem Unternehmen garantiert.

Wertpapierkennnummer

Anhand der Wertpapierkennnummer (kurz WKN) kann man jede Aktie eindeutig identifizieren. Diese Nummer ist für Privatanleger zum Beispiel nützlich, wenn man auf der Suche nach Informationen zu einem ETF ist oder einen kaufen will. In Deutschland gibt es für jedes Wertpapier zwei solcher Nummern: Zum einen die sechsstellige »WKN« (Wertpapierkennnummer), die jedoch hauptsächlich in Deutschland verwendet wird. Die andere Nummer ist die sogenannte »ISIN« (International Security Identifikation Number). Diese zwölfstellige Nummer wird weltweit genutzt und ist damit international verwendbar. Man kann jedoch mit beiden Nummern Wertpapiere eindeutig identifizieren.

Ammerkungen

1 Vgl. Das unendliche Spiel: Strategien für den unendlichen Erfolg, Simon Sinek, 1. Auflage 2019, Redline Verlag

2 Vgl. https://www.focus.de/finanzen/altersvorsorge/einen-tag-vor-ort-sie-sparen-eine-woche-fuer-einen-euro-bei-der-berliner-ta fel-bekommt-altersarmut-ein-gesicht_id_8481817.html

3 Vgl. https://www.bertelsmann-stiftung.de/fileadmin/files/BSt/ Publikationen/GrauePublikationen/Entwicklung_der_Altersar mut_bis_2036.pdf

4 Vgl. Helden, Schurken, Visionäre: Entrepreneure waren gestern – jetzt kommen die Contrepreneure, Rahim Taghizadegan, 1. Auflage, 2016, FinanzBuch Verlag.

5 Vgl. Financial Market History – Reflections on the past for investors today, University of Cambridge.

6 Vgl. https://www.fondsprofessionell.de/news/uebersicht/head line/weckruf-fuer-berater-das-sind-die-groessten-aktienirrtue mer-der-deutschen-193372/ref/2/

7 Vgl. Das kalte Herz: Kapitalismus: die Geschichte einer andauernden Revolution, Werner Plumpe, 1. Auflage, 2019, Rowohlt Verlag.

8 Vgl. https://www.welt.de/wirtschaft/article189283761/Sparverhal ten-der-Deutschen-Fast-jeder-Dritte-hat-am-Monatsende-kein-Geld-mehr.html

9 Vgl. Kaufen oder Mieten. Wie Sie für sich die richtige Entscheidung treffen, Dr. Gerd Kommer, 2. Auflage, 2016, Campus Verlag

10 Vgl. Scale: Die universalen Gesetze des Lebens von Organismen, Städten und Unternehmen, Geoffrey West, 1. Auflage, 2019, C.H. Beck.

11 Asset Allocation: Wie man profitable und abgesicherte Portfolios erstellt, William J. Bernstein, 3. Auflage, 2006, FinanzBuch Verlag.

12 Der schwarze Schwan. Die Macht höchst unwahrscheinlicher Ereignisse. Nassim Nicholas Taleb, 2. Auflage, 2018, Pantheon Verlag.

13 Vgl. https://de.statista.com/statistik/daten/studie/202295/umfrage/entwicklung-des-zinssatzes-fuer-spareinlagen-in-deutschland/

14 Vgl. https://de.wikipedia.org/wiki/72er-Regel

15 Vgl. Das kleine Handbuch des vernünftigen Investierens – an der Börse endlich sichere Gewinne machen, John C. Bogle, 1. Auflage, 2018, Finanzbuch Verlag.

16 Vgl. Finde dein Warum: Der praktische Wegweiser zu deiner wahren Bestimmung, Simon Sinek, 1. Auflage, 2018, Redline Verlag

17 Vgl. Vales-based financial Planing: The Art of Creating and inspiring financial strategy, Bill Barchrach, 1. Auflage, 2000, Aim High Publishing.

18 Vgl. Rich Dad, Poor Dad – was die Reichen ihren Kindern über Geld beibringen, Robert T. Kiyosaki, 10. Auflage, 2018, FinanzBuch Verlag.

19 Vgl. https://www.lvz.de/Nachrichten/Wissen/Warum-schlechte-Nachrichten-in-den-Medien-dominieren

20 Vgl. Die Kunst des digitalen Lebens: Wie Sie auf News verzichten und die Informationsflut meistern, Rolf Dobelli, 4. Auflage, 2019, Piper Verlag.

21 Vgl. Factfulness – Wie wir lernen, die Welt so zu sehen, wie sie wirklich ist, Hans Rosling mit Anna Rosling Rönnlund und Ola Rosling, 3. Auflage 2019, Ullstein Verlag.

22 Vgl https://www.der-paritaetische.de/presse/paritaetischer-armutsbericht-2019-zeigt-ein-viergeteiltes-deutschland/

23 Vgl. https://www.ey.com/de_de/news/2019/06/immer-mehr-dax-aktien-in-auslaendischer-hand

24 Vgl. Matrix Book 2019: Historical Returns Data – US Dollars, Di-

mensional (Hrsg.) (http://static.fmgsuite.com/media/documents/ dfa8e2eb-70a8-4830-bbab-2e967cef3871.pdf).

25 Vgl. https://www.investor.bayer.de/aktie/aktionaersstruktur/ueber sicht/

26 Vgl. https://www.deutschland.de/de/topic/wirtschaft/made-in-germany-starke-marken-und-erfolgreiche-produkte

27 Vgl. https://www.deutschland.de/de/topic/wirtschaft/warum-ist-die-deutsche-wirtschaft-so-stark-sieben-gruende

28 Vgl. https://www.deutschland.de/de/topic/wirtschaft/soziale-marktwirtschaft-in-deutschland-wachstum-und-wohlstand

29 Vgl. https://www.stern.de/politik/deutschland/rentenkasse—po litiker-bedienen-sich-und-lassen-andere-die-zeche-zahlen-7348362.html

30 Vgl. Banker verstehen – 200 Finanzprodukte verständlich erklärt und bewertet, Markus Neumann, 2014, 1. Auflage, Stiftung Warentest

31 Vgl. https://www.demografie-portal.de/DE/Fakten/altersrentner-beitragszahler.html

32 Vgl. https://www.vgsd.de/arbeitsministerium-prognostiziert-ohne-reformen-rueckgang-des-rentenniveau-auf-unter-40-pro zent/

33 Vgl. https://newforum.org/new-paradigm/ein-neues-paradigma-was-die-deutschen-wirklich-wollen/

34 vgl. Der Lilith-Komplex. Die dunklen Seiten der Mütterlichkeit, Jens-Joachim Maaz, 1. Auflage 2005, DTV

35 Gerd Kommer:»Gold als Investment – braucht man das?«(https:// www.gerd-kommer-invest.de/gold-als-investment/)

36 Vgl. https://www.gerd-kommer-invest.de/wp-content/uploads/ 2016-Gold-Kommer-Teil-2.pdf

Über den Autor

Bis Ende 2019 war Christoph R. Kanzler in verschiedenen leitenden Positionen in der internationalen Finanzindustrie tätig. Als einer der Ersten in Europa beschäftigte er sich bereits 2007 mit ETFs und evidenzbasierten Anlagestrategien. Er fragte sich, wie sich diese effektiv und effizient in der Finanzberatung einsetzen lassen. Als strategischer Visionär schafft er ein neues Verständnis rund um die Themen Investieren, Sparen und Kapitalmärkte.

Anfang 2020 machte er sich als »Der Kanzler« (www.der-kanzler.com) und der »30plusX GmbH« als Unternehmer selbstständig. Er streifte dadurch die Fesseln der Konzerne ab, um Deutschland zielgerichtet zu einem besseren Platz für Anleger und Finanzberater zu machen.

Er begleitet Versicherer, Banken, Wealth Manager und Anlageberater und ist weltweit als hoch erfahrener sowie renommierter Top-Experte in seiner Branche anerkannt.

Im Rahmen von Vorträgen und Seminaren profitieren auch Privatkunden von seiner Expertise aus mehr als 25 Jahren internationaler Erfahrung in der Finanzindustrie. Er motiviert seine Zuhörer dazu, die Wohlstand schöpfende Kraft freier Märkte zu erkennen und diese für sich zu nutzen. Sie sind schließlich Teil dieser größten Erfolgsgeschichte der Menschheit.

Christoph Kanzler lässt Menschen, Unternehmen und Wohlstand wachsen. Er ist ein Verfechter von Geschäftsmodellen, in denen der Mensch und Kunde im Mittelpunkt steht. Profit darf nicht alles sein, aber ohne Profit ist alles nichts.

Er ist der Banker, der die Menschen liebt. Erreichbar ist der Kanzler online unter www.der-kanzler.com.